"C'est la dernière
que j'essaie de pêcher."

"Une jeune citadine romantique comme vous ne survivrait pas longtemps par ici," conclut Simon, amusé.

"Je suis bien plus résistante que je n'en ai l'air," s'empressa d'ajouter Jessica. "Vous jugez trop selon les apparences."

"Certainement," admit-il en riant. "Surtout à l'encontre de jolies femmes qui savent plaire aux jeunes garçons... de dix ans."

"Que voulez-vous dire?" fit-elle sèchement.

"Danny est tout à fait séduit," expliqua-t-il avec calme.

"Il a besoin d'amis... et peut-être d'un peu plus d'affection," dit-elle.

"Suggérez-vous qu'il a besoin d'une mère?" grogna-t-il.

"Non! Vous ne pensez tout de même pas que..." balbutia-t-elle, gênée.

Dans Collection Harlequin

Flora Kidd

est l'auteur de

ARENES ARDENTES (#50)
AURORE ET SEBASTIAN (#98)
LA FLAMME DU DESIR (#115)
DE LA BELLE AUBE AU TRISTE SOIR (#123)

Ces titres sont disponibles chez votre dépositaire.

L'EAU DORMANTE DU SOUVENIR

Flora Kidd

Collection Harlequin

PARIS • MONTREAL • NEW YORK • TORONTO

Publié en septembre 1980

ISBN 0-373-49136-0

Dépôt légal 3e trimestre 1980
Bibliothèque nationale du Québec et Bibliothèque nationale
du Canada.

Imprimé au Canada—Printed in Canada

1

Du hublot de l'avion la visibilité était parfaite. Depuis le départ de Toronto, Jessica avait pu découvrir les paysages de l'Ontario, du Manitoba et de la Saskatchewan, tandis que l'avion volait en direction de l'Alberta.

Les prairies canadiennes semblaient n'être qu'une seule et même plaine, verte, inondée de soleil, infinie. Une longue rivière serpentait à travers elles, reflétant comme un miroir le ciel ensoleillé. Les lacs ressemblaient à des gouttes de peinture bleue versées sur un épais papier vert. Les villes, éloignées les unes des autres, dessinaient des carrés ou des rectangles diversement colorés le long du tracé gris des routes.

Dans le ciel, les nuages formaient un décor fantastique d'icebergs et de falaises abruptes, vapeurs blanches voguant lentement de chaque côté de l'avion. A l'horizon, d'autres nuages évoquaient des châteaux féériques aux multiples tourelles dressées sur des champs immaculés, à perte de vue.

L'avion commença de descendre et, soudain, le soleil couchant colora d'un rose vif les nuages fantastiques. Une voix demanda aux passagers d'attacher leur ceinture et d'éteindre leur cigarette.

Jessica se détourna du hublot, vérifia la fermeture de sa

ceinture et redressa le dossier de son siège. Puis elle posa une main sur le bras de son compagnon et le secoua doucement.

— James, réveillez-vous, nous allons atterrir, dit-elle.

James secoua la tête, puis soupira profondément avant d'ouvrir les yeux.

— Je suis toujours surpris par la longueur du voyage, dit-il d'un ton bougon en se redressant. Et le Canada est toujours plus grand que dans mes souvenirs. Vous ne vous êtes pas ennuyée, j'espère.

Il n'avait pratiquement pas cessé de dormir, comme il l'avait fait entre Londres et Toronto, deux jours plus tôt. Il s'appelait James Marshall, ingénieur hautement qualifié, chercheur brillant, et depuis deux ans, Jessica était sa première assistante. Deux années fascinantes, tumultueuses, pendant lesquelles elle avait appris à travailler avec lui et à admirer le tempérament imprévisible et stimulant du génie.

— Non, je ne me suis pas ennuyée, répondit-elle en souriant. C'est mon premier voyage au Canada, ne l'oubliez pas. Et c'est moi plutôt qui risque de vous importuner avec mes exclamations enfantines devant toute chose aux dimensions inhabituelles. Déjà l'étendue du pays me paraît incroyable.

James sourit et tapota la main de Jessica posée sur l'accoudoir du siège.

— Je ne pourrai jamais m'ennuyer avec vous, ma chère. En fait, je suis heureux de voyager en votre compagnie. Vous apportez toujours un regain d'intérêt aux endroits trop familiers.

Maintenant, l'avion volait à basse altitude. Jessica put voir des bosquets près de fermes et de granges peintes en rouge. Des chevaux, affolés par le bruit de l'avion, s'éloignaient à longues foulées, vers l'autre extrémité d'un champ. De petits lacs semblaient s'embraser dans les reflets du soleil couchant. Puis, des gratte-ciel apparurent, criblés de lumières. C'était Edmonton où James allait donner une série de conférences sur les nouvelles sources d'énergie.

L'avion atterrit. Ils prirent congé de l'hôtesse et du stewart avant de s'engager dans un corridor au sol recouvert d'un tapis, jusqu'au hall d'arrivée où ils attendirent leurs bagages.

Une atmosphère d'allégresse régnait dans l'aéroport, et James se retrouva soudain entouré par un groupe de jeunes femmes riant aux éclats. Elles étaient vêtues à la mode des années dix-huit cent quatre-vingt-dix. Certaines portaient des robes longues très élégantes. D'autres étaient habillées en danseuses de french can-can, avec des bas noirs, des jarretières d'un rouge vif, des jupes à froufrou. A tour de rôle elles donnèrent à James un baiser chaleureux en signe de bienvenue à Edmonton. Puis elles se précipitèrent vers le passager suivant.

— Qu'est-ce que cela veut dire ? demanda Jessica à un James visiblement gêné. Pourquoi ces costumes ?

— Ce doit être la célébration des « Journées du Klondike », reprit-il tout en empoignant l'une des valises apportées par le tapis roulant.

— Le Klondike ? L'une des grandes ruées vers l'or, n'est-ce pas ?

— Exactement. Les prospecteurs partaient d'ici et y revenaient après avoir fait fortune ou pour noyer leurs désillusions. En souvenir, les habitants d'Edmonton s'habillent et vivent pendant dix jours, comme à la fin du siècle dernier... Allons prendre un taxi, Jessica.

Le soleil venait de disparaître à l'horizon quand le taxi quitta l'aéroport et quand il arriva en vue de l'hôtel, les rues très animées scintillaient de lumières.

Dans le hall de l'hôtel, Jessica retrouva l'effervescence de l'aéroport. d'un salon venait une musique de french can-can jouée sur une piano désaccordé. La plupart des femmes portaient des robes fin de siècle. Leurs tailles bien prises, leur gorge et leurs bras dénudés les rendaient tout à la fois élégantes et séduisantes. Les hommes arboraient des redingotes, des vestes brodées, des chemises à jabot. Barbes et favoris leur donnaient l'air des bons vivants de l'époque des pionniers.

Soudain, Jessica remarqua une personne qui faisait exception à la règle. L'homme venait de passer à côté d'elle. Elle le suivit du regard.

Il était vêtu d'un jean dont le bas retroussé découvrait des bottes en cuir fauve et à talons hauts, d'une chemise à carreaux bleu marine et blancs et d'un gilet en jean. Il portait également un chapeau de cow-boy, blanc, avec les bords relevés.

Il parla à la réceptionniste, puis regarda autour de lui. Un instant, des yeux en amande dans un visage basané dévisagèrent Jessica, avant de se tourner à nouveau vers la réception. Sans être vue, Jessica put contempler le profil dur sous l'ombre du chapeau, la carrure impressionnante, les longues jambes visiblement musclées.

— Un homme de Calgary se reconnaît à son chapeau, s'exclama joyeusement une voix masculine derrière Jessica.

Elle se retourna et trouva James en compagnie d'un homme au visage coloré, portant le costume des festivités. Il se présenta lui-même :

— Je suis Brian Dawson. J'appartiens à la compagnie qui vous a invités. Bienvenue à Edmonton, madame Howard. Nous sommes ravis de vous voir accompagner James.

— Merci. Vous vouliez parler du chapeau de cet homme, je suppose. C'est un chapeau de cow-boy, n'est-ce pas ?

— Exact. Mais certains le portent par amusement. Ce qui ne me paraît pas être le cas.

— Merci d'être venu nous accueillir, Brian, s'exclama James.

— Ne me remerciez pas. J'étais ici avec ma femme et avec Tom et Molly Crawley. Nous accompagnions d'autres invités à un spectacle de french can-can. Voulez-vous vous joindre à nous ? Dans une demi-heure ? Ça vous convient, Jessica ?

— Tout à fait.

— Bien. On vous retrouve ici.

Un groom prit leurs bagages. Dans l'ascenseur, ils se trouvèrent en présence de l'homme en jean, nonchalamment appuyé contre une paroi, le visage à demi dissimulé par son chapeau, comme s'il désirait éviter toute conversation.

Leurs chambres se situaient au dix-huitième étage. Quand les portes de l'ascenseur s'ouvrirent, l'homme sortit aussitôt et prit le couloir à droite. Jessica et James suivirent le groom dans la même direction. Un épais tapis étouffait le bruit de leurs pas. Jessica occuperait la chambre dix-huit-onze et James la dix-huit-vingt, un peu plus loin dans le même couloir.

Jessica découvrit sa chambre avec plaisir. Le mobilier était moderne. Le lit à deux places était recouvert d'un tissu damassé bleu et blanc dans les tons des céramiques de la salle de bains. Les serviettes de toilette avaient une douceur moelleuse.

Jessica ouvrit ses valises avant de se doucher. Quand elle se coiffa, elle releva ses cheveux sur le sommet de la tête dans le style fin de siècle, et mit un collier ras du cou, en perles de couleurs. Elle avait choisi de porter une robe d'un rouge sombre qui, moulant le buste avant de s'évaser, s'harmoniserait parfaitement avec les costumes de la soirée.

Dès qu'elle fut prête, elle chercha à rejoindre James. Mais elle n'était plus très sûre du numéro de sa chambre. Elle hésita devant le dix-huit-vingt et un, puis frappa. Elle perçut une voix d'homme l'invitant à entrer. La porte n'était pas fermée à clef.

A en juger par les bruits venant de la salle de bains, James devait prendre une douche rapide ! Jessica s'avança dans la chambre et regarda autour d'elle, étonnée de ne pas voir la valise et le porte-documents en cuir brun.

— Vous vous êtes trompée de chambre, Miss.

La voix calme, légèrement traînante, laissait quand même transparaître une certaine autorité. Jessica sursauta, pivota sur elle-même et fut saisie à la vue de l'homme sortant des vapeurs de la salle de bains. Ses cheveux noirs, plutôt longs, s'égouttaient sur ses larges épaules, et l'eau ruisselait sur son torse. Il avait noué une serviette autour de sa taille.

Ce furent les yeux d'un gris étonnamment clair dans le visage tanné par le soleil et le vent qui permirent à Jessica de reconnaître l'homme au chapeau blanc.

— Oh, excusez-moi ! Je me croyais dans la chambre de James.

Il sourcilla, mais une lueur ironique adoucit son regard.

— James ? demanda-t-il poliment.

— James Marshall. Mon patron.

— Pourquoi ne pas essayer la porte en face, numéro dix-huit-vingt ?

— Oui. Bien sûr. Merci, dit-elle en allant vers la porte. Je... Je suis désolée.

Mais, en guise de défense, elle ajouta :

— Vous m'avez dit d'entrer et ce n'était pas fermé.

— J'avais demandé une boisson et laissé la porte ouverte pour le garçon d'étage, répondit-il très calmement avant d'accompagner Jessica sur le seuil, un geste de courtoisie qui la surprit.

Encore toute gênée par cet incident, elle traversa le couloir et frappa au numéro dix-huit-vingt.

— Entrez donc Jessica, s'exclama James. Venez voir cette chambre. Elle est digne d'un palais, ajouta-t-il dans un éclat de rire.

La pièce était presque deux fois plus grande que celle de Jessica et meublée dans le style des années quatre-vingt-dix, avec de fausses lampes à pétrole, des roses rouges sur le papier mural, un lit immense, une causeuse et la reproduction d'un vieux téléphone d'ivoire et de métal doré.

— Etes-vous en forme pour cette soirée, Jessica ?

— Tout à fait. Il y a une telle joie dans l'air. Je ne voudrais pas rater ça.

Ils retrouvèrent Brian dans le hall, en compagnie de quatre couples mariés.

— Quel plaisir de vous revoir, James, s'exclama Molly Crawley avant de se tourner, toute souriante, vers Jessica. Tom et moi avons visité Londres, il y a tout juste deux ans, et James nous a servi de guide. Combien de jours comptez-vous rester ici ? Vous prendrez bien le temps d'aller jusqu'aux montagnes, j'espère ?

— J'aimerais, oui, répondit Jessica, Vous savez, j'ai eu une grand-mère canadienne. Elle est née ici, à Edmonton, mais, jeune fille, elle a vécu à Clinton qui se trouve, je crois, au pied de la montagne. Vous connaissez ?

— Si je connais ! Dans le même coin, nous avons un chalet de vacances. Mais, dites-moi, comment votre grand-mère est-elle partie pour l'Angleterre ?

— Elle était infirmière pendant la première guerre mondiale et elle s'est engagée dans la Croix Rouge internationale. Elle a rencontré mon grand-père dans un hôpital militaire où il se remettait d'une blessure. Après la guerre, ils ont décidé de s'installer en Angleterre.

— Eh bien, vous devez avoir des cousins de ce côté-ci de l'Atlantique ! s'écria Molly.

— Je ne crois pas. Grand-mère était enfant unique.

— Quel est son nom de jeune fille ?

— Simpson. Jacinte Simpson.

— Ah, je vois : votre grand-mère devait avoir les yeux aussi bleus que les vôtres. Bleus comme les jacinthes sauvages qui poussent dans les forêts de nos montagnes.

Jessica sourit :

— Effectivement elle avait ces yeux-là. Et elle fut drôle et pleine de vie jusqu'à la fin. Elle aurait été heureuse de me savoir enfin ici. Elle m'aurait incitée à visiter Clinton et à faire la randonnée du lac de l'Aigle. Ce doit être à une haute altitude, puisqu'elle parlait de la ligne de crête et de la difficulté de monter à cheval. Connaissez-vous ce lac ?

— J'en ai entendu parler. Mais les lignes de crête, sur un cheval, je n'ai jamais essayé. Je ne suis pas très bonne cavalière, expliqua Molly en s'accompagnant d'un rire contagieux. Les Indiens appellent l'endroit : le Lac Magique et le considèrent comme la demeure d'un esprit bénéfique.

— Je pourrais m'y rendre, croyez-vous ? Peut-on louer un cheval dans la région ? demanda Jessica.

— Oui. Et des guides également.

Molly fit une pause. Elle parut réfléchir avant d'ajouter à l'improviste :

— Voudriez-vous venir avec nous dans notre chalet, dès que vous serez libre ?

Jessica fut surprise par l'invitation soudaine et fit une réponse hésitante.

— C'est très gentil... mais vous ne me connaissez pas !

— Ce n'est pas une raison ! s'exclama Molly. Ici, dans l'Ouest, nous sommes fiers de notre hospitalité. Et puis, vous êtes avec une personne que nous connaissons bien et cela suffit. Vous ne travailliez pas pour lui, il y a deux ans, quand nous étions à Londres ?

— Non... J'étais... J'étais en voyage de noces, répondit Jessica en se raidissant.

— J'avais remarqué votre alliance, expliqua Molly, très franchement. Votre mari doit être un homme très conciliant pour vous laisser partir si loin avec votre patron, précisa-t-elle en dévisageant Jessica. Ou bien votre mariage s'est déjà défait, comme tant d'autres, aujourd'hui.

— Steve a été tué dans un accident, répondit Jessica d'une voix éteinte. Nous avons été mariés quatre mois, seulement.

— Oh, pardonnez-moi. Je n'en fais jamais d'autres ! Allons rejoindre Brian. Il semble nous attendre. Nous parlerons à James de votre désir de venir en montagne. De toute façon je vous revois au déjeuner que nous organisons vendredi prochain à notre domicile d'Edmonton.

Le spectacle avait lieu au sous-sol dans une grande salle meublée comme un saloon de Western. Les spectateurs se rassemblaient autour de petites tables. Un pianiste, maigre, coiffé d'un chapeau melon, jouait sur un vieux piano des mélodies d'autrefois. Il y avait une chanteuse à la poitrine généreuse soutenue par un bustier à paillettes, et les danseuses montraient, avec le sourire, leurs jambes gainées de noir et leurs jarretières rouges comme d'authentiques danseuses de french can-can.

A la fin du spectacle, Jessica et James saluèrent les autres invités de Brian et regagnèrent leurs chambres. Avant de quitter Jessica, James remarqua :

— Nous avons bien commencé notre séjour, n'est-ce pas ? Vous sembliez vous entendre fort bien avec Molly.

— Elle m'a invitée à son chalet, près de Clinton. Croyez-vous que je puisse accepter ?

— Oui. Excellente idée, répondit-il avec enthousiasme. Vous vouliez voir les montagnes, l'occasion est belle. Et comme je dois aller vers le nord, pendant quelques jours, je pourrais vous reprendre au retour. C'est sur ma route.

— Parfait, dit-elle en riant juste avant de bâiller et d'avouer : Comme j'ai sommeil ! Bonne nuit, James.

— Bonne nuit.

Il surprit Jessica en se penchant vers elle pour l'embrasser sur la joue. Au même moment quelqu'un sortit de l'ascenseur et s'avança dans le couloir. James s'éloigna. Jessica reconnut l'homme au chapeau blanc.

Elle dormit profondément mais s'éveilla tôt à cause du décalage horaire. Il faisait jour. Elle se leva, fit sa toilette et choisit les vêtements du jour : un pantalon blanc, la veste assortie, avec une piqûre blanche aux épaules et aux poches, et un chemisier blanc. Elle brossa sa chevelure auburn pour la rendre brillante, puis dégagea son front en retenant par une barrette d'écaille une longue mèche ondulée. Comme toujours, elle avait le teint pâle, mais ses grands yeux bleus, ourlés de longs cils, étaient clairs et brillants, en dépit d'une nuit trop courte.

L'animation avait déjà repris dans le hall. Elle dut faire attention aux câbles des caméras de télévision. On allait sans doute filmer les différents spectacles et en assurer la diffusion dans toute la province.

Elle sortit. Il faisait frais. Face à l'hôtel, il y avait un grand square et des gratte-ciel de béton et de verre miroitant contre le ciel d'un bleu limpide.

Elle eut envie de profiter du soleil et de la sensation d'espace et de nouveauté. Elle traversa l'avenue et se promena sur le trottoir d'en face, en observant les gens qui allaient travailler. Certaines jeunes femmes étaient en robe longue, avec une capeline ornée de plumes, un boa, et, la plupart du temps, une jolie ombrelle. Mais d'autres portaient un pantalon, vêtement beaucoup plus confortable dans la fraîcheur du matin, à défaut d'être aussi flatteur.

En quête d'un petit déjeuner, Jessica retourna à l'hôtel. Elle dut contourner un groupe de jeunes gens interviewés à propos des festivités, avant de monter un petit escalier conduisant à la salle à manger d'où l'on voyait le hall et le bar.

Il restait une table pour deux. Jessica s'y installa et observa un moment les animateurs de la télévision, en attendant la serveuse.

— Pardon, madame.

Elle reconnut la voix calme, traînante et pourtant autoritaire. Elle leva les yeux et vit l'homme au chapeau blanc, debout, près de la table.

— Me permettez-vous de m'asseoir à cette table, demanda-t-il poliment.

— Oui, répondit-elle.

Le souvenir de la veille la fit rougir. Le remarqua-t-il ?

— Merci, dit-il.

Il s'assit et aussitôt déplia un journal devant lui.

Jessica mangea du bacon, des œufs et but son café à petites gorgées. De temps à autre, elle regardait autour d'elle. Il y avait surtout des hommes d'affaires, élégants dans leurs costumes estivaux, avec des chemises aux cols impeccables et des cravates fantaisie. Quand son regard se posa sur l'homme assis devant elle, il avait un peu abaissé son journal. Elle découvrit alors ses cheveux bouclés sur son front large et barré par deux rides soucieuses. Son nez était plutôt long mais large et aplati sur l'arête. Il avait des pommettes saillantes, une grande bouche aux lèvres fermement dessinées, sur lesquelles flottait un petit sourire cynique.

Il releva brusquement les yeux, comme s'il avait senti le regard de Jessica posé sur lui. Ses pupilles claires eurent l'éclat froid du gel. Puis il remonta un peu le journal devant son visage, sans doute pour mettre fin à l'examen dont il se sentait l'objet.

La serveuse lui apporta son petit déjeuner. Il commença de manger, sans un mot. Autour d'eux, les conversations allaient bon train. Ils étaient les seuls à ne pas parler. Ce silence gêna Jessica.

Incapable de se contenir plus longtemps, pour la première fois de sa vie, elle abandonna cette réserve qui lui donnait habituellement un air de supériorité et de froideur devant des étrangers.

— Venez-vous de Calgary ? demanda-t-elle.

— Euh ? répondit-il très surpris, comme s'il avait oublié sa présence. Je vous demande pardon, je n'ai pas entendu.

— Je vous ai demandé si vous étiez de Calgary. J'ai remarqué votre chapeau, hier. C'est, m'a-t-on dit, un signe de reconnaissance.

Une lueur d'amusement passa dans ses yeux.

— Vous devez certainement cette information à un habitant d'Edmonton. Il existe une rivalité entre les deux villes, un mélange d'amour et de haine qui ne va pas sans moquerie de part et d'autre. Vous êtes Anglaise, je suppose, à la façon dont vous parlez. Vous êtes venue dans ma chambre, hier, n'est-ce pas ? Je ne vous ai pas reconnue tout de suite. Avec vos cheveux sur les épaules vous paraissez beaucoup plus... juvénile.

A nouveau, elle se sentit rougir et s'en voulut de le laisser ainsi la déconcerter. Elle contre-attaqua :

— Si vous ne venez pas de Calgary, d'où venez-vous ?

— De la région des montagnes.

Il répondit sèchement et continua de manger avec une certaine ostentation comme pour mettre un terme à la conversation. La serveuse vint offrir d'autre café. Jessica accepta, malgré l'heure avancée. Il était temps pour elle de rejoindre James, mais le silence de cet homme lui semblait un défi qu'elle avait bien envie de relever.

— Vous voulez dire les Montagnes Rocheuses ? insista-t-elle.

— Y en a-t-il d'autres, par ici ? répliqua-t-il sèchement avec un coup d'œil ironique.

— Non. Certainement...

Mais, bien décidée à ne pas se montrer plus ignorante qu'elle ne l'était, elle ajouta :

— Ma grand-mère est née à Edmonton. Elle m'a beaucoup parlé des montagnes.

— A quelle époque a-t-elle vécu ici ?

— Avant la Première Guerre mondiale.

— Oh, alors, elle trouverait plus d'un changement ! De quelle région d'Angleterre venez-vous ?

— Du comté d'Essex, répondit-elle, avant de juger bon d'ajouter : c'est près de Londres. J'y travaille dans le quartier des affaires et je prends le train chaque jour. Connaissez-vous l'Angleterre ?

— Non.

Il continua son repas. Jessica se sentit à nouveau piquée au vif. Il l'intriguait. Elle voulait en savoir plus. Alors comment faire, sinon parler d'elle un peu plus ouvertement, afin de le mettre en confiance.

— Vous ne voulez pas savoir pourquoi je suis ici ? dit-elle d'un ton provocant.

— Vous êtes venue voir de la famille, je suppose. C'est le cas de la plupart des Européens que nous voyons ici en été, répondit-il d'un ton tout à fait neutre.

— Et ils descendent généralement à l'hôtel ?

Il la regarda attentivement et se mit à sourire. Un sourire lent qui découvrit ses dents parfaites.

— D'accord. Allons-y pour le jeu des questions. Que faites-vous ici, si loin de l'Angleterre ?

— J'assiste à une série de conférences sur l'énergie.

— Vous êtes ingénieur ? demanda-t-il, surpris.

— Non. Je suis l'assistante personnelle de James Marshall, un spécialiste éminent des nouvelles sources d'énergie.

— Son assistante personnelle ? répéta-t-il lentement. Diable, cela peut signifier beaucoup de choses !

— C'est un titre de prestige pour une simple secrétaire, avoua-t-elle. Je lui prépare sa documentation, je participe à l'élaboration de ses conférences, je tape ses lettres, je fais en sorte qu'il ne rate ni un avion, ni un rendez-vous.

— En somme, vous lui rendez la vie plus agréable.

Encore une fois, devant son air moqueur, elle se sentit rougir. Il avait dû voir James l'embrasser, la veille au soir, dans le corridor et il en tirait des conclusions... A son tour, elle interrompit la conversation. D'ailleurs, il était temps de rejoindre James.

— Combien de jours restez-vous ici ? demanda-t-il sans intérêt particulier.

— Jusqu'à samedi.

— Et ensuite, vous retournez en Angleterre ?

— Non. Je vais voir la montagne. J'ai deux semaines de vacances. Vous êtes en ville pour le carnaval, je présume.

— Non. Je viens chercher mon fils. Il doit pouvoir quitter l'hôpital, demain.

— Pour quelle raison est-il hospitalisé ?

— Il a fait une chute de cheval. Il a des contusions et quelques côtes cassées.

— Ce doit être douloureux. Quel âge a-t-il ?

— Dix ans.

— N'est-il pas un peu jeune pour monter un cheval difficile ?

— Je ne crois pas, répondit-il avec raideur, visiblement contrarié par les critiques de Jessica. J'ai appris à monter beaucoup plus tôt que lui.

Elle revit ses jambes légèrement arquées avant de recevoir un choc en regardant ses mains. Des mains puissantes et nerveuses de bon cavalier mais couvertes de cicatrices et de taches blanches comme si, brûlées, elles avaient dû subir une opération chirurgicale.

— Mais vous, vous êtes pratiquement né sur un cheval, dit-elle. Et peut-être pas lui.

Il l'interrogea du regard. Que voulait-elle dire exactement ? Il fronça les sourcils.

— C'est ça : vous avez tout de suite compris, dit-il lentement.

Son expression s'était durcie. Jessica sut qu'elle avait, sans le vouloir, mis le doigt sur la corde sensible et elle regarda ailleurs. James, le visage contrarié, se dirigeait vers elle.

— Jessica, que faites-vous ? Il est presque neuf heures, et nous sommes attendus à l'université dans un quart d'heure. Je vous ai cherchée partout.

James était svelte et particulièrement élégant dans son complet gris clair, avec sa chemise blanche. Il avait des traits fins, des cheveux blonds, ondulés, et, à côté de lui, l'homme au chapeau avait réellement quelque chose d'un rustre.

— Je vous ai appelée plusieurs fois dans votre chambre, précisa-t-il, irrité. Je ne vous ai pas fait parcourir la moitié du globe pour que vous passiez votre temps à prendre le café avec un inconnu.

— Attendez une minute !

La voix nonchalante se fit coupante. L'homme s'était levé. Pas aussi grand que James, il avait cependant une carrure impressionnante, et la lenteur de ses mouvements semblait refréner une violence intérieure.

— Nous sommes dans un pays libre, enchaîna-t-il, et aucune loi n'interdit de parler à un étranger. De plus si cette jeune femme est en retard, c'est de ma faute. Je l'ai retenue.

Voilà un joli mensonge, pensa Jessica tout en découvrant avec plaisir dans les yeux de l'inconnu le reflet malicieux d'un rire contenu. Elle en éprouva une sorte de complicité et sourit.

— A plus tard, peut-être, Jessica. Et bonne journée, dit-il nonchalamment.

Il s'éloigna tandis que James se laissait tomber sur la chaise vacante.

— Qui est-ce ? demanda-t-il, toujours furieux.

— Je ne sais pas. Un client de l'hôtel qui prenait son petit déjeuner à la même table, c'est tout, répondit-elle avec indifférence, mais quelque peu blessée par les manières de James.

— Parler à un parfait inconnu, ça ne vous ressemble guère, Jessica.

Ils regardèrent tous deux vers la caisse où l'homme au chapeau payait son repas.

— Vous ignorez tout de lui, marmonna James. Regardez la façon dont il m'a parlé. Il a été très grossier.

— Je ne suis pas d'accord. En fait, il a été très courtois, répliqua-t-elle.

— Courtois ?

James avait parlé si fort que des regards se tournèrent dans sa direction. Alors, visiblement gêné, il se pencha vers Jessica et ajouta à voix basse mais avec véhémence :

— Vraiment, Jessica, vous vous conduisez bizarrement. Je ne savais pas que vous vous souciiez tant de courtoisie, d'attitude chevaleresque. Je vous croyais plus moderne. L'égale de l'homme...

— Sans doute. Mais ça ne vous autorise pas à me parler comme vous l'avez fait. Et ça ne m'empêche pas d'apprécier que l'on prenne ma défense.

L'exaspération figea les traits de James.

— Nous n'avons pas le temps de discuter, conclut-il. Etes-vous prête à partir ?

— Oui.

L'incident avait suscité entre eux une certaine tension dont ils n'avaient pas l'habitude, et ils n'échangèrent pas une seule parole tandis que le taxi les conduisait à vive allure vers l'université, sur la rive sud de la rivière Saskatchewan.

En fin d'après-midi, ils retournèrent à l'hôtel où elle se changea afin d'accompagner James au dîner-spectacle du club Petroleum, offert par la direction d'une compagnie pétrolière.

Ils revinrent tard dans la nuit, et Jessica fut heureuse de pouvoir enfin dormir. Elle eut un sommeil profond jusqu'à neuf heures, puis elle paressa un moment dans le grand lit confortable, heureuse d'avoir devant elle toute une matinée libre. James ne donnait pas de conférence ce matin-là, et elle n'avait pas rendez-vous avec lui avant midi.

Elle repensa incidemment à l'inconnu au chapeau. Avait-il pu faire sortir son fils de l'hôpital ? A l'idée de le retrouver, peut-être, dans la salle à manger, elle rejeta le drap et se précipita hors du lit.

La salle à manger n'était pas pleine, et il lui fut facile de constater l'absence de l'inconnu. Elle le chercha du regard pendant tout le temps du petit déjeuner, mais il ne fit pas son apparition.

Terriblement déçue, elle chercha un centre d'intérêt. Que pourrait-elle visiter en quelques heures ? Elle se renseigna à la réception, dans le hall de l'hôtel.

On lui suggéra de se rendre au musée :

— Vous y apprendrez tout ce que vous pouvez désirer savoir sur les gens de la région. Mais faites en sorte d'être de retour à midi, quand les fanfares joueront.

— Les fanfares ?

— Elles viennent de différentes villes et se réunissent dans le square. C'est une des attractions les plus célèbres.

Il faisait beau. Le taxi traversa des quartiers résidentiels avant de la déposer devant le musée. Dans l'entrée, des boiseries ambrées, du marbre blanc et du fer forgé se mêlaient admirablement bien. On lui remit un plan des différentes expositions. Elle se dirigea vers une galerie essentiellement consacrée à l'histoire de différentes tribus indiennes.

Le mode de vie indien autant que l'artisanat la fascinèrent, et elle s'attarda un moment en compagnie d'un groupe composé de quatre femmes, deux hommes et de quelques petits garçons.

— Tu ne peux pas me voir...

La voix enfantine venait d'un espace entre deux vitrines. Jessica y découvrit deux yeux noirs dont le blanc ressortait avec éclat dans la pénombre.

— Mais si, je peux, murmura-t-elle. Je vois tes yeux et tes dents.

L'enfant eut un petit rire et sortit de sa cachette. Il avait des cheveux raides, noirs comme du jais, une peau brune et veloutée, de grands yeux sombres et rieurs. Jessica lui sourit, mais un homme au profil d'aigle vint réprimander l'enfant dans une langue inconnue et, le prenant par la main, le conduisit vers les quatre femmes. Jessica s'avisa alors que les membres du petit groupe avaient tous la même couleur de peau, et que le profil d'aigle se retrouvait chez l'un des mannequins de cire dont ils admiraient les costumes et les coiffures de plumes. Jessica comprit : ils s'agissaient d'Indiens en admiration devant leurs propres traditions.

Elle s'avança vers une autre vitrine et devina tout à coup une présence nouvelle. Elle jeta un regard en coin et sentit un frisson parcourir son corps. Elle reconnaissait l'homme en jean.

Il la regarda avec des yeux froids, dépourvus d'expression.

— Bonjour, dit-elle.

— Bonjour, répondit-il.

— Nous semblons destinés à nous rencontrer, dit-elle sans réfléchir.

Il ne répondit pas, continuant à la regarder sans expression.

— Cette exposition est fascinante, non ? continua-t-elle malgré elle, énervée au fond par son besoin impérieux de parler à cet homme. Etait-ce tout simplement à cause de son silence, de son regard hostile ?

— Il me semble, oui... La dernière fois que je suis venu ici, le musée était encore en construction.

— Il doit vous plaire. C'est un très beau bâtiment.

Son regard se fixa sur le visage de Jessica. Il eut à nouveau un demi-sourire, presque douloureux, comme si le fait de sourire était pour lui une chose extraordinaire et difficile.

— Oui, je crois qu'il me plaît. Mais les musées ne sont pas tellement mon affaire. Je suis ici pour passer le temps.

— Moi aussi. Mais je suis très contente d'être venue.

Elle voulut se diriger vers la vitrine suivante, mais eut peur de se retrouver seule. Elle ne souhaitait pas le quitter aussi vite.

— Comment va votre petit garçon ? demanda-t-elle.

Il fut visiblement surpris.

— Je vais pouvoir le ramener à la maison cet après-midi, comme je l'espérais.

— J'en suis heureuse.

— Vous l'êtes vraiment ? demanda-t-il sans trop savoir. Vous ne dites pas ça par simple politesse ?

— Mais non ! Vous vous faites une curieuse idée de moi ! s'exclama-t-elle avec entrain.

— Je me réfère à mon expérience : les femmes qui

agissent avec votre décontraction sont généralement très superficielles.

Elle resta interloquée par sa remarque plutôt amère, comme si les femmes l'avaient souvent déçu. Mais ne l'avait-elle pas provoquée en exigeant stupidement d'être comprise par un homme qui ne la connaissait pas ?

— Je pense toujours ce que je dis et je m'intéresse aux autres, répliqua-t-elle.

— Mais pourquoi ? Vous ne connaissez ni mon fils... ni moi.

— C'est vrai. Mais il m'est arrivé de passer quelque temps dans un hôpital, lorsque j'étais enfant, et je sais comme l'on peut se sentir abandonné, loin de son père et de sa mère.

— Tout doux ! intervint-il sur le ton du cavalier calmant un cheval récalcitrant. Danny n'a pas de mère.

Elle tressaillit et se tourna rapidement vers la statue d'un chef indien. Il portait une coiffure de plumes et levait un bras dans un geste violent. Posé sur un socle mobile, il semblait danser au son des tambours retransmis par une bande magnétique.

— Je suis désolée, murmura Jessica.

— Ne le soyez pas, dit-il froidement. Je vous informais, un point c'est tout. Vous savez, il s'est très bien entendu avec les infirmières, et elles vont lui manquer beaucoup plus que je n'ai pu lui manquer moi-même.

Elle se tourna vers lui, les yeux brillants.

— Maintenant, vous essayez de me dire que vous n'êtes pas un bon père ? Je ne peux pas le croire.

— Pourquoi ? Tout le monde en est persuadé, répondit-il avec une expression cynique sur les lèvres. On me rend responsable de la chute de Danny. Je suis trop exigeant avec lui, je le voudrais à mon image, dit-on.

Il s'interrompit soudain, détourna son regard. Ses épaules se voûtèrent mais il ajouta :

— Pourquoi diable vous faire ces confidences ? Vous êtes une étrangère.

— C'est peut-être pour cette raison, dit-elle.

Il se retourna à demi et lui lança un regard intrigué.

— Que voulez-vous dire ?

— Il est parfois plus facile de se confier à un étranger, expliqua-t-elle.

Il lui fit face, attentif.

— Comment le savez-vous ? Vous en avez fait l'expérience ?

A son tour, elle détourna les yeux et s'intéressa à la reconstitution d'un village indien, tout en répondant rapidement :

— Oui... Votre fils ne vous ressemble pas ?

— Non, répondit-il d'un ton tranchant, presque impoli, rejetant ainsi l'intérêt qu'elle lui manifestait, comme elle venait de le faire avec lui. Avez-vous fait le tour de cette salle ?

— Oui, je crois.

Il était temps de changer de sujet. Le ton était devenu étrangement personnel, pour une conversation entre deux inconnus se rencontrant dans un musée, tout à fait par hasard.

Jessica se dirigea vers la salle suivante où étaient exposés des costumes de cérémonies indiennes. Elle admira les ceintures aux dessins géométriques faits de toutes petites perles à dominante blanche, bleue et rouge.

Elle ne tarda pas à sentir une présence non loin d'elle. Elle jeta un coup d'œil de côté et vit que l'homme au chapeau l'avait suivie. Il regardait la même vitrine.

— Que de travail avec ces perles, c'est fantastique ! s'exclama Jessica.

— Les Indiens ont beaucoup de patience. Ils font d'excellents dresseurs de chevaux parce qu'ils savent prendre le temps de les comprendre.

— Il y avait une famille indienne, dans la salle précédente, juste avant votre arrivée. Je trouvais étrange de les voir contempler leur propre passé, quand j'ai compris que je m'étais souvent trouvée dans la même situation en Angleterre, devant une exposition de vêtements ou d'outils datant de plusieurs siècles. Cela m'avait toujours paru naturel et...

Il l'interrompit :

— Et pour la première fois, peut-être, vous comprenez que nous avons tous les mêmes origines, et que les différences entre les peuples sont dues à des influences extérieures : le climat, l'environnement, la nécessité de s'adapter pour survivre. Je parle comme un professeur, non ? dit-il en s'amusant de la surprise de Jessica. En fait, je viens d'en citer un. J'ai suivi un moment des cours d'anthropologie à l'université. J'ai pu y vérifier mon idée selon laquelle nous appartenons tous à la même race, en dépit des différences de couleurs et de formes du crâne. Cela m'a paru très réconfortant.

— Pourquoi ?

— Vous n'êtes pas heureuse quand l'une de vos théories favorites s'avère exacte ?

— Oui. Sans doute.

Elle attarda son regard sur son profil rude. Comme celui de l'Indien rencontré un peu plus tôt, il semblait avoir été taillé dans le roc, érodé par les bourrasques, brûlé par le soleil et marqué par le gel.

Il désigna des bracelets.

— Ils sont faits dans les montagnes, par les Indiens Stoney, avec des graines de plantes et d'arbres. Vous voyez ces petites boules argentées ? Ce sont des graines de saule durcies par ébullition.

— C'est ravissant, s'exclama Jessica. Si fin ! Et le choix des couleurs est très séduisant. Vous semblez bien connaître les Indiens.

— J'ai vécu parmi eux et j'en emploie quelques-uns.

— Où ? Comment ?

— Dans un ranch. Où allons-nous maintenant ? Au premier étage ?

Il ne voulait pas parler du ranch. Elle en fut déçue mais accepta de continuer la visite avec lui, heureuse, au fond, d'être en sa compagnie. Ils passèrent la demi-heure suivante à examiner une collection d'oiseaux et d'autres aspects de la faune canadienne.

Ils redescendirent, sortirent et flânèrent au soleil, entre des pelouses descendant en pente vers la rivière et arrosées par des tourniquets au mouvement incessant.

— La dernière fois que je suis venu ici, il y avait de la neige, et la rivière charriait des blocs de glace, dit-il.

Jessica regarda l'eau vert clair coulant entre des rives d'un vert plus soutenu. Il y avait un pont, à proximité, sur lequel passait un flot de voitures dont les chromes rutilaient sous le soleil.

— Il est difficile ce matin d'imaginer ce pays sous la neige et la glace, dit-elle en offrant son visage au soleil et à l'air parfumé par les bordures fleuries des pelouses. Ma grand-mère préférait les montagnes en hiver. Elle les trouvait alors plus belles.

— Elles le sont en toutes saisons, répondit-il lentement.

Jessica remarqua son air nostalgique. Il exprimait le désir de retrouver sa terre, loin des bruits et des lumières de la ville.

Elle jeta un coup d'œil à sa montre.

— Grand Dieu, je suis en retard. Je dois être à midi à l'hôtel. Et il est midi ! s'exclama-t-elle.

— Comment y allez-vous ?

— En taxi.

— Vous n'en trouverez pas par ici. Il vous faudrait téléphoner. Allons prendre l'autobus.

Ils n'attendirent pas longtemps. L'autobus était plein mais s'arrêta quand même. Avant qu'elle ait pu ouvrir son sac, l'homme au chapeau avait déjà payé.

Ils durent rester debout entre les sièges, et le démarrage brutal de l'autobus projeta Jessica contre son compagnon. Pour lui permettre de garder l'équilibre, il contracta tous ses muscles et plaqua une main sur sa taille. Ils restèrent ainsi, l'un contre l'autre, jusqu'à l'arrêt suivant où un siège se libéra. Jessica s'assit et il resta près d'elle, se penchant de temps à autre pour lui désigner à l'extérieur un objet d'intérêt.

Dès qu'il le put, il s'assit à côté d'elle. Elle sentit son bras musclé contre le sien. Le silence s'installa entre eux. Mais loin d'être tendu, il palpitait de toutes sortes de messages inaudibles. Atmosphère si agréable que Jessica eût aimé ne pas en voir la fin.

Mais bientôt, ils se retrouvèrent dans la rue, attendant à un feu rouge de pouvoir traverser. Alors, l'homme au chapeau prit fermement la main de Jessica dans la sienne. L'hôtel, au bout de l'avenue, se dressait contre le ciel pâle : colonne de pierre brune percée de fenêtres brillantes comme des yeux. A proximité, une foule dense s'était rassemblée pour écouter les cuivres retentissants et les flûtes aiguës d'une musique martiale.

Gardant la main de Jessica dans la sienne, l'homme en jean se fraya un chemin dans la foule. Au moment d'entrer dans l'hôtel, il eut un petit rire quand la porte-tambour les obligea à se serrer l'un contre l'autre.

— Jessica ! s'écria James planté dans le hall et visiblement énervé. Où étiez-vous passée ? Je vous attends depuis vingt minutes !

Sa main quitta celle de son compagnon quand elle se retourna vers James.

— Je suis désolée, James, dit-elle très souriante, sans aucun sentiment de culpabilité. Je suis allée au musée et...

Elle ne termina pas sa phrase et regarda autour d'elle. L'homme au chapeau se dirigeait vers l'ascenseur. Avant que les portes se referment sur lui, il fit un signe de la main auquel elle répondit. Soudain, elle se rendit compte qu'elle ne connaissait même pas son nom.

— Jessica, réveillez-vous ! Nous sommes en retard. Un taxi nous attend, venez.

James paraissait exaspéré.

— Mais je dois me changer !

— Nous n'avons pas le temps. Vous êtes très bien comme ça.

Il la prit par le bras et l'entraîna vers le taxi. La voiture démarra aussitôt.

— Je ne comprends pas ce qui vous arrive, grommela James. Pour la deuxième fois en deux jours, vous me faites attendre ! Et la raison en est la même : ce type habillé en cow-boy.

— Ce sont ses vêtements habituels, pas un déguisement. Il possède un ranch.

— Vraiment ? répondit-il parfaitement ironique. Il a dû vous parler de ses terrains et de ses immenses troupeaux, je suppose.

— Non. Il ne s'est pas vanté. Et ce qu'il m'a dit, je le crois.

— Mais moi, je ne comprends toujours pas ce que vous faisiez avec lui.

— Je l'ai rencontré deux fois, protesta-t-elle, furieuse, et deux fois par hasard. Il était déjà au musée quand je suis arrivée. Ensuite, nous avons pris le bus ensemble. Je ne connais même pas son nom.

— Et cependant, il vous tenait par la main, répliqua James, sèchement.

Elle le regarda, médusée.

— Mais c'était pour traverser la route et se frayer un chemin à travers la foule. Enfin, James, ajouta-t-elle sans pouvoir s'empêcher de rire, vous ne pensez tout de même pas que l'on se tenait par la main, comme deux adolescents...

— Très honnêtement, je ne sais pas ! s'exclama-t-il d'un ton tranchant. Depuis la mort de votre mari, vous vous êtes montrée si réservée. Peut-être suis-je jaloux ?

— Jaloux ? Vous ?

— Oui. Moi, répondit-il avec un pauvre sourire. Vous êtes surprise ? Quand vous êtes entrée dans l'hôtel tout à l'heure, je vous ai vue heureuse, détendue comme un oiseau hors de sa cage. Et cette transformation, quelqu'un d'autre l'a réussie à ma place. Voilà pourquoi je me sens jaloux.

Elle regarda à l'extérieur. Le taxi empruntait une avenue résidentielle bordée de maisons spacieuses, souvent blanches et précédées de pelouses parfaites que des tourniquets saupoudraient d'une eau ensoleillée. Il y avait aussi des bosquets de cyprès et de genévriers, des plates-bandes de fleurs aux couleurs éclatantes. Une atmosphère de confort et d'opulence flottait dans l'air, comme si les habitants de cette rue avaient toujours connu une grande aisance.

— Il n'y a pas de quoi être jaloux, James. Je n'ai pas changé. Ce ne fut qu'une brève rencontre, sans signification.

— Je comprends et je m'excuse d'avoir été plutôt brutal, dit-il en posant sa main sur celle de Jessica. Je vous aime beaucoup et...

Il s'interrompit. Cherchait-il ses mots ? Elle attendit et constata que les confidences de James ne faisaient pas vibrer son cœur.

— Et... quoi ? insista-t-elle, en le regardant dans les yeux.

— Je ne veux pas vous voir à nouveau malheureuse.

— Ne vous en faites pas. Je ne le serai pas, répondit-elle froidement.

— Bien.

Il pressa la main de Jessica dans la sienne en signe d'assentiment. Mais elle baissa les yeux, revivant une autre sensation. Un peu plus tôt, une autre main avait pris la sienne. Une main large, aux doigts nerveux ; une main brûlée par le soleil et le vent et couverte de curieuses cicatrices. Et elle éprouva un étrange regret à l'idée qu'elle ne connaîtrait jamais la cause de ces blessures, qu'elle ne saurait jamais pourquoi un petit garçon appelé Danny n'avait pas de mère.

2

Au cours des jours suivants, Jessica n'eut guère le temps de repenser à l'homme au chapeau ou à la réaction inattendue de James à une si brève rencontre. Entraînée dans un véritable tourbillon, elle assista à des conférences, prit des notes, les dactylographia, écrivit des lettres pour James et participa à des réceptions.

Une seule fois, alors qu'elle croisait un homme portant un chapeau de cow-boy parmi la foule d'un centre commercial, elle eut une pensée secrète pour les trois rencontres successives dues au hasard, sourit, mais ressentit un réel pincement au cœur.

Elle s'en alarma. Depuis la mort de Steve, elle ne s'était plus laissé entraîner par ses sentiments. Elle avait vécu chaque jour, sans penser, ni au passé, ni à l'avenir. Regarder en arrière la remplissait de mélancolie, au souvenir de la tendresse et des rires partagés avec Steve, tandis que le futur lui faisait l'effet d'un monde grisâtre où elle s'interdisait tout engagement profond avec un homme, de peur que l'amour ne lui fût à nouveau arraché.

Elle repoussa de ses pensées l'homme au chapeau. Ce ne fut pas trop difficile. Elle avait encore tant à faire et à voir. Les « Journées du Klondike » se terminaient, mais Edmonton résonnait de l'écho des fanfares qui avaient joué dans le square devant l'hôtel, chaque jour à midi. Chaque soir, Jessica avait assisté avec James à un spectacle différent, d'une compétition entre bûcherons au concert d'un chanteur canadien célèbre dans le monde entier.

Le vendredi, avec un groupe de femmes de conférenciers, Jessica se rendit au déjeuner des Crawley. Leur maison, grande et blanche, séparée de l'avenue par une pelouse, se dressait sous le soleil de midi à l'ombre de hauts sapins bleus mêlés à des bouleaux argentés aux feuilles frémissantes. Les fenêtres à guillotine étaient pourvues de volets verts, et l'entrée se trouvait sous un portique à colonnes de bois.

Molly, rieuse, les yeux brillants, apparut dès que la sonnette tinta. Derrière elle, Jessica aperçut un groupe d'invités, des voisines, toutes vêtues de robes fin de siècle. Les présentations se firent dans le vaste hall, au sol recouvert d'un tapis, après quoi tout le monde se retrouva dans le salon, entre les deux divans recouverts de tissu à grandes fleurs, les chaises et les petites tables en bois d'érable, couleur de miel.

Le déjeuner était prêt dans la salle à manger attenante au salon, ouverte sur un patio entouré de treillis blancs, sur lesquels grimpaient roses et géraniums. Servie en saumon, dinde, roastbeef, salade verte et toasts beurrés, Jessica s'installa dans le patio d'où l'on découvrait, à l'arrière de la maison, une longue pelouse descendant jusqu'à des bosquets fleuris, sous un saule gracieux. Molly vint l'y rejoindre.

— Alors, c'est d'accord ! s'exclama-t-elle. Vous venez avec Cindy et moi à Narrow Lake, pendant que James et Tom vont à Fort Mac Murray.

— Si vous voulez toujours de moi.

— Bien sûr. Je vous prendrai à l'hôtel, demain matin, à dix heures tapantes. Au début de l'après-midi, nous serons à Jasper, où ma nièce Rhoda Gerhardt arrivera par bus de Vancouver. Nous allons nous retrouver, tranquillement, entre femmes, précisa Molly avec un sourire complice. James va-t-il vous manquer ?

— Pas du tout, répondit Jessica en riant.

— Vous êtes très proches tous les deux, non ?

— C'est un bon patron et un ami, répondit Jessica avec prudence.

— Pas plus ?

— Non.

— En ce qui concerne James, je ne dirais pas la même chose, enchaîna Molly. J'affirmerais plutôt qu'il est amoureux de vous.

Jessica se mit à rire. Elle refusait d'y croire.

— Ce ne peut être vrai, Molly. James n'aime vraiment que son travail. Autrement, il serait marié depuis longtemps.

— Il donne cette impression, je sais. Mais quand vous avez disparu, jeudi dernier, il a bien trouvé le temps de s'inquiéter.

Jessica fut à la fois ébahie et indignée. Elle se sentit rougir et baissa les yeux sur son assiette afin d'éviter le regard insistant de Molly.

— James n'a aucun droit de contrôle sur mes heures de loisir, protesta-t-elle.

— En principe, oui. Mais, vous voyez, il est très content de savoir que vous venez avec nous. Il se sent rassuré.

— Il vous l'a dit ?

Jessica releva la tête. Ses yeux bleus étincelaient.

— Oui. Il m'a pratiquement demandé de vous servir de chaperon, précisa Molly en étouffant un rire. C'est un rôle tout nouveau pour moi !

— Ne le prenez pas trop au sérieux, répliqua Jessica avec une légèreté feinte, qui tentait de masquer son irritation.

— Je me demande ce qu'il craint, s'interrogea Molly en se levant. Il est peut-être effrayé par votre projet de randonnée jusqu'au lac de l'Aigle... Allez, venez prendre un dessert.

De retour à l'hôtel, dans l'attente du dernier dîner professionnel, Jessica s'allongea un moment sur son lit. Elle repensa à l'idée de James amoureux d'elle. C'était ridicule. Et puis, surtout, elle ne le souhaitait pas. Cela signifierait pour elle, un changement de travail, l'abandon de cette confortable routine qu'elle avait eu la chance de trouver, après bien des années d'attente.

Ce soir-là, quand James l'invita à danser et qu'il la serra contre lui, elle se contracta. Et, quand il fut sur le point de l'embrasser avant qu'elle aille se coucher, comme il l'avait fait chaque soir depuis leur arrivée à Toronto, elle recula, lui adressa un sourire radieux en murmurant : A demain matin, et ferma précipitamment la porte de sa chambre.

Le lendemain, elle s'éveilla avec une exaltante sensation de liberté. Ce séjour en montagne l'enchantait. Pendant six jours, au moins, elle serait totalement libre, au point de se perdre dans la nature, si l'envie l'en prenait.

Elle achevait de préparer ses bagages quand on frappa à la porte. James entra en tenue de sport : ensemble beige et chemise ocre à col ouvert.

— Je vous quitte. Tom Crawley vient d'arriver, annonça-t-il.

— Je vous souhaite un voyage intéressant, répondit-elle, simplement polie.

Il se dirigea vers la fenêtre, souleva un rideau et observa la rue.

— Jessica ? appela-t-il, sans se retourner, vous pensez vous débrouiller toute seule ?

— Mais je ne vais pas être seule, répondit-elle calmement.

— Je veux dire que je ne serai pas avec vous, dit-il en se retournant vers elle.

— Et ce ne sera pas la première fois, James...

— Mais ici, vous êtes à l'étranger. Et il y a des coins encore très sauvages. Quelque chose pourrait vous arriver.

— Ne vous faites pas tant de souci. On dirait...

Jessica s'interrompit, de peur de devenir blessante.

— On dirait ? insista James.

— Mon père, dit-elle.

Elle le vit sourciller et éprouva du remords.

— Oui. J'ai sans doute l'air d'un père soucieux de sa fille. En fait, Jessica, vous avez, depuis deux ans, pris une très grande importance dans ma vie. Je ne voulais pas vous en parler maintenant, mais...

Elle lui coupa la parole :

— Eh bien, n'en parlons pas. Attendons la fin de mes vacances.

— Ce sera trop tard, j'en ai le sentiment, dit-il avec angoisse.

Le téléphone se mit à sonner. Jessica se précipita pour répondre, soulagée par cette interruption très opportune.

— Allô ?... Oui, James est ici. Il descend tout de suite... C'est Tom Crawley précisa-t-elle en reposant l'appareil. Il vous attend.

Elle accompagna James jusqu'à la porte.

— Je vous retrouve chez les Crawley, jeudi prochain, Jessica. Soyez au rendez-vous, sinon...

Il grimaça un sourire sans terminer sa phrase.

— Sinon ? insista Jessica.

— Je ne sais pas, dit-il sur le ton de l'impuissance... Au revoir, Jessica. Soyez prudente.

Molly arriva, comme prévu, à dix heures tapantes. Quand elle ouvrit la portière arrière de sa voiture pour installer les bagages de Jessica, deux beaux chiens blancs, robustes, leur langue rose pendante, avancèrent leur museau vers elle.

— Je vous présente Toby et Prince. Ce sont des chiens esquimaux.

— Oh ! s'exclama Jessica. J'en ai entendu parler. Ils tirent les traîneaux sur la neige, n'est-ce pas ?

— C'est exact. Montez devant, à côté de moi. Cindy reste à l'arrière avec Gin, notre chat siamois.

Cindy devait avoir dix-huit ans. Elle avait des cheveux blonds, très clairs, un visage joufflu mais sérieux, des yeux ronds d'un bleu très pâle.

— Nous allons suivre l'avenue de Jasper, annonça Molly en faisant démarrer la voiture. Ça vous permettra, Jessica, de jeter un dernier coup d'œil à la Saskatchewan. Cette rivière a vu beaucoup de choses au cours de l'histoire, vous savez. Les premiers Européens sont arrivés par ici en canots. C'étaient des trappeurs. Edmonton a été un centre important pour le commerce de la fourrure. Cindy aime l'histoire et elle a son héros préféré.

— Oui, répondit Cindy. Il s'appelle David Thompson. C'était un très jeune trappeur ; il a exploré les rivières en canot et il a établi la carte d'une grande partie de l'Ouest. C'est sûrement l'un des cartographes les plus importants du monde. Et, contrairement aux autres, il n'a jamais abandonné l'Indienne qu'il avait épousée.

— La grand-mère de Jessica a vécu à Clinton, Cindy, et lui a parlé du lac de l'Aigle. Sais-tu comment l'on s'y rend ? demanda Molly.

— Il faut louer un cheval et un guide au ranch Lazy R. J'aimerais beaucoup vous accompagner, Jessica.

— Ce serait avec plaisir, si vous réussissez à organiser cette randonnée.

Elles sortirent de la ville. La route se déroulait, droite et grise devant elles, vers un horizon de collines vertes et de brumes bleues. De chaque côté s'étendait la plaine, parsemée de quelques maisons de bois flanquées d'aulnes fatigués.

— Cette route, nous l'appelons « la route toujours verte », expliqua Molly. Quand nous étions enfants, nous pêchions et nagions dans les lacs des alentours. Nous venions aussi cueillir des airelles ou ramasser des champignons, tout en restant sur nos gardes, à cause d'un ours qui avait, disait-on, tué un chasseur.

Peu à peu, le brouillard matinal se leva. Un soleil pâle se refléta sur la surface mouillée de la route. Les poteaux indicateurs défilaient, portant des noms d'îles, de lacs et de plages. Jessica remarqua surtout les noms indiens comme Wabanum ou Nakamun.

Les champs cédèrent la place à des collines boisées. Molly arrêta la voiture devant un restaurant en bordure de route où elles déjeunèrent de hamburgers, de frites et de café, parmi des touristes bavards descendus d'autobus ultra-modernes.

Cindy remplaça Molly au volant. Progressivement, la route monta. De grands sapins aux branches lourdes descendaient des collines jusqu'aux bords de la route.

— Nous approchons de Jasper, annonça Molly. Regardez la rivière, c'est l'Athabasca. Nous allons la suivre jusqu'à Jasper.

Soudain, les montagnes se dressèrent, rose pâle ou violettes, contre le ciel limpide. Devant un tel spectacle, Jessica garda le silence. Les blocs de rochers s'amassaient les uns sur les autres, pyramides grandioses dont les sommets aigus semblaient transpercer la douceur du ciel. Sur certains pics, et bien que l'on fût en juillet, il y avait de la neige.

De ce spectacle fabuleux, Jessica réussit à détacher son regard et se tourna vers la rivière. Les eaux laiteuses portaient du bois de flottage à l'écorce gris argent. Des îlots bordés de saules et de pins ralentissaient le courant.

Maintenant, l'Athabasca formait un lac vert sombre criblé de roseaux serrés et d'arbres morts. Jetant un coup d'œil derrière elle, Jessica s'aperçut que les montagnes semblaient désormais barrer la route par vagues successives de calcaire, jaune pâle dans la lumière du soleil de midi.

La route s'engagea dans une vallée profonde. De chaque côté, l'herbe grasse des pâturages précédait la forêt. En face, une haute paroi grise, coiffée de neige et de glace, s'élevait jusqu'aux nuages blancs dérivant dans le ciel.

— Voici le mont Edith Cavell, du nom de l'infirmière qui permit à tant de personnes de passer en Angleterre, pendant la première guerre mondiale, expliqua Molly. Bientôt, nous serons à Jasper.

La ville nichée dans les collines grouillait de touristes. Certains se reposaient sur les pelouses d'un petit parc fleuri, à l'ombre d'un bosquet. Un jeune guitariste chantait doucement.

Elles trouvèrent une place de parking près de la gare des autobus, puis elles allèrent attendre Rhoda, comme convenu, au pied du totem.

— Cette sculpture, expliqua Cindy en désignant le totem, a été réalisée par un chef indien sur l'île de la Reine Charlotte et amenée ici en mil neuf cent quinze. Vous voyez le corbeau ? Si vous suivez son regard vous trouverez la montagne qui fait penser à un homme endormi : la Roche Bonhomme.

Jessica suivit le regard du corbeau sculpté et retrouva les grandes parois grises brillantes sous le soleil au-dessus des forêts. Elle respira l'air pur et sentit la joie monter en elle. Elle était enfin parmi ces montagnes dont sa grand-mère lui avait tant et tant parlé.

— Tante Molly ! Cindy ! Je suis si contente de vous revoir.

Rhoda était grande et svelte. Ses cheveux noirs avaient des reflets bleus et ses beaux yeux bruns riaient. Elle portait une veste et un pantalon de flanelle grise, rayée, très élégants.

— Rhoda ! C'est formidable de se retrouver après tout ce temps, s'écria Molly avant de l'embrasser affectueusement. Je te présente Jessica Howard. Elle est en voyage. Elle vient d'Angleterre. J'espère que vous vous entendrez bien toutes les deux. Vous allez partager la même chambre au chalet.

Elles montèrent en voiture et sortirent de la ville. Molly prit une route à travers la montagne pour rejoindre la grand-route qui, du nord au sud, traversait une région de collines boisées.

— Tu es contente d'être de retour ? demanda Molly à Rhoda.

— Oui. Le Kenya c'est bien, mais rien ne vaut d'être chez soi.

— Tu es chez toi à Vancouver, maintenant ? la taquina Molly.

— Tu comprends ce que je veux dire. C'est le Canada !

— Tu n'as pas envie de revenir à Edmonton ?

— Ça dépend.

— De quoi ?

— De ce qui peut arriver cet été, répliqua-t-elle d'un ton léger... Quelqu'un a vu Simon, ces derniers temps ?

— Je ne l'ai pas vu depuis des siècles, répondit Molly.

— Et toi Cindy ?

— Je l'ai rencontré l'été dernier, à l'occasion d'une promenade à cheval jusqu'à la vallée Tonquin.

— Comment allait-il ? demanda Rhoda.

— Bien, je suppose. Simon ne parle pas beaucoup de lui.

— Et l'enfant ? Ressemble-t-il à Lou ?

— Je ne me souviens pas d'elle, précisa Cindy.

Jessica se désintéressa de cette conversation un peu énigmatique. Elle regarda le paysage. Les pâturages se répétaient à perte de vue, au pied des vertigineuses parois rocheuses.

Un panneau indicateur signala la ville de Clinton à trois kilomètres et le lac Narrow sur la droite. Molly freina pour prendre une route étroite et poussiéreuse. La route descendait, si bien qu'à l'horizon, les montagnes toutes proches paraissaient de plus en plus hautes.

Le lac parut d'abord n'être qu'une brume bleue parmi les prairies. Plus près, Jessica discerna ses rives sablonneuses. La route passait à droite, devant deux maisons entourées de pins et de bouleaux. Après un dernier virage, la voiture quitta la route pour suivre un chemin sinueux jusqu'à un bâtiment en bois, de plain-pied, long et visiblement construit en plusieurs étapes.

— Ce n'est pas un chalet, c'est un château ! s'exclama Jessica.

— Eh bien, ce fut d'abord une simple cabane construite par mon arrière grand-père. Quand mon père a vendu la ferme, nous l'avons gardée avec quelques arpents de terre autour. La cabane s'est agrandie avec la famille, expliqua Molly. Maintenant, n'oubliez pas de porter vos bagages. Il n'y a pas de groom ici. Et jusqu'à l'arrivée des garçons et le retour de James et de Tom, nous restons strictement entre femmes.

A l'intérieur de la maison, les boiseries créaient une atmosphère de détente et de confort. Le mobilier était taillé dans le même bois, clair et doré. La salle de séjour occupait toute la longueur de la façade vitrée. On y trouvait des étagères pleines de livres, des objets d'artisanat indien, des fusils de chasse et des cannes à pêche.

La chambre de Jessica et Rhoda se trouvait à l'arrière de la maison et donnait sur la forêt. Quand Jessica s'éveilla, le lendemain matin, elle fixa sur le paysage un regard brumeux, ne sachant plus très bien où elle était. Un petit animal gris, au museau pointu et aux yeux brillants, l'observait sur le bord de la fenêtre. Quand elle se redressa sur son lit, l'animal se sauva, découvrant les rayures de son pelage et sa longue queue raide.

L'autre lit était vide. Mais elle eut à peine le temps de se poser de questions. Déjà Rhoda entrebâillait la porte, une tasse à la main. Elle portait une robe de chambre toute fleurie. Ses cheveux défaits flottaient sur ses épaules.

— Je connais les habitudes anglaises, dit-elle gaiement. Vous prenez une tasse de thé au réveil.

— Merci beaucoup. Mais ne devions-nous pas nous débrouiller toutes seules ?

— Si, répondit Rhoda en s'asseyant sur le lit de Jessica. Mais je voulais vous réveiller et cela m'a paru la façon la plus diplomatique de le faire. J'aimerais vous faire une suggestion. Vous êtes prête à l'entendre ?

— Allez-y.

— Nous devrions aller au ranch Lazy R dès ce matin pour mettre au point cette randonnée. Il faut compter quatre jours pour aller au lac de l'Aigle et revenir. Il est temps de nous décider. Le loueur de chevaux aime bien être prévenu à l'avance.

— C'est une très bonne idée.

— Nous allons emprunter la voiture de Molly.

— Et Cindy ?

— Elle est déjà partie pêcher. Quant à Molly, je la connais. Elle préférera rester sous la véranda avec un roman. Alors nous y allons ?

— Bien sûr. Comment je m'habille ?

— Jean et chemisier. Nous aurons peut-être l'occasion de monter ce matin.

Une demi-heure plus tard, elles étaient sur la grand-route. Rhoda conduisait vite, avec une grande maîtrise. Bientôt le ranch Lazy R fut signalé.

— La maison et les corrals sont loin de la route, précisa

Rhoda tandis que la voiture s'engageait en cahotant sur un chemin de terre.

— Rien n'est près, ici, observa Jessica en riant. Les distances sont incroyables.

— Après l'Angleterre, ça doit vous paraître démesuré. Mais les distances ne nous arrêtent pas. Nous nous rendons visite même en hiver, quand il nous faut faire des kilomètres dans la neige.

— Pourquoi le ranch s'appelle-t-il le Lazy *R* ? demanda Jessica.

— La terre a appartenu en premier à un nommé Dan Roberts qui est venu de l'Ontario dans un chariot bâché. Il a eu une fille, Rose Roberts, la grand-mère de Simon Benson, l'actuel propriétaire.

— Rose Roberts ! Ma grand-mère m'en parlait souvent.

— Ça ne m'étonne pas. Rose a été une figure légendaire. Et une parfaite cavalière à une époque où les courses de chevaux se pratiquaient à la première occasion. Elle était fille unique, volontaire et plutôt gâtée, et elle aimait la danse autant que le cheval. Il n'y avait qu'une ombre au tableau... Un homme.

— Lequel ?

— Sam Benson, le meilleur dresseur de chevaux de son père. Un jour, il est venu du sud avec quelques chevaux que Dan Roberts lui a achetés. Et il est resté. Rose est tombée follement amoureuse de lui. Dit-on.

— Sans réciprocité ?

— Apparemment. On en parle encore comme d'un homme très timide, sauvage même. Il avait, paraît-il, du sang indien. Un beau jour, Rose lui a proposé une course en le défiant de la gagner. Il a accepté. Mais ce jour-là Rose a eu un accident. Elle a fait une chute et est restée handicapée jusqu'à la fin de sa vie.

— Quelle fut l'attitude de Sam ?

— Il l'a épousée et quand elle a hérité du ranch, il s'en est occupé jusqu'à sa mort.

— Y a-t-il plusieurs ranchs par ici ? demanda Jessica, revoyant soudain l'homme au chapeau blanc avec lequel elle avait déjà parlé de chevaux...

— Non. Quelques-uns seulement. Ici, d'ailleurs, il y a peu de bétail. Les grands élevages se trouvent dans les pâturages au sud et à l'ouest de Calgary.

La voiture s'arrêta devant une longue maison en bois entourée de champs qui s'étendaient jusqu'aux pentes boisées de la montagne.

Rhoda arrêta le moteur et klaxonna. Personne n'apparut. Elles sortirent de la voiture. Le soleil chauffait. On pouvait entendre des meuglements et un bruit de sabots de cheval dans la poussière.

Elles virent un homme sortir de derrière la maison. Il était petit. Il portait une chemise à carreaux, un jean râpé et des éperons qui cliquetaient à chaque pas. Apparemment, son chapeau marron à larges bords et baissé sur le front ne lui permit pas de remarquer leur présence, puisqu'il monta sans broncher les marches de bois conduisant à la véranda.

— Dites ! s'écria Rhoda, Simon Benson est-il dans les parages ?

L'homme s'arrêta sur la dernière marche, leur jeta un coup d'œil sans même relever son chapeau et redescendit. Elles virent son visage tanné, couvert de rides, ses yeux sombres et légèrement bridés.

— Que lui voulez-vous ? demanda-t-il d'une voix douce.

— C'est pour organiser une randonnée, expliqua Rhoda.

— Il est dans le corral, derrière la maison. Il apprend à monter à son fils.

Tout son visage riait tandis qu'il secouait la tête et il ajouta :

— C'est du temps perdu !

Il s'éloigna et monta à nouveau les marches, mais cette fois-ci d'un pas pesant.

— Venez Jessica. Allons assister à la leçon d'équitation.

Rhoda se mit à marcher très vite, mince silhouette en jean et chemisier blanc près du corps. Jessica la suivit sans précipitation, passant du plein soleil à l'ombre de la maison. Derrière, il y avait une pelouse étroite bordée de pétunias pourpre et blanc. Du linge séchait sur une corde dans le souffle lent et chaud du vent de la montagne. L'enclos était circulaire. Au-delà, les sapins gris-bleus ressemblaient à des sentinelles dressées jusqu'au pied des remparts rocheux.

Un petit cavalier faisait le tour de l'enclos. Un homme était assis sur la palissade. Tous deux portaient le même genre de chapeaux. Des chapeaux blancs.

— C'est Simon, murmura Rhoda avec une lueur malicieuse dans les yeux. Essayons de le surprendre. Il ne s'attend absolument pas à me voir.

Elle avança sur la pointe des pieds. Jessica fit de même. Quelque chose dans le chapeau et la carrure de cet homme lui paraissait très familier.

Le petit cavalier s'arrêta près de son père pour écouter ses conseils. Mais son attention fut distraite. Il avait aperçu les deux jeunes femmes et il les désigna du doigt.

L'homme se raidit avant de se tourner lentement. L'ombre de son chapeau ne put dissimuler l'étonnement de son regard. Jessica le reconnut immédiatement mais sans une seule exclamation. Elle savait : au fond d'elle-même, elle avait, pour plus d'une raison, souhaité cette rencontre.

— Simon ! s'écria Rhoda. Vous vous souvenez de moi ?

— Rhoda !

Il sauta à terre et s'avança vers elle.

— Je vous croyais en Afrique ou... en Amérique du Sud.

— J'étais au Kenya. Je suis rentrée le mois dernier. Je vis à Vancouver. Tante Molly m'a invitée pour les vacances. Simon, pourquoi n'avez-vous jamais répondu à mes lettres ?

Il haussa les épaules et eut un sourire triste.

— Ecrire n'est pas dans mes cordes, murmura-t-il avant de demander d'un ton sec en regardant Jessica : c'est une amie ?

Ainsi il voulait faire semblant de ne pas la connaître. Tant mieux, pensa Jessica, cela m'évitera das explications auprès de Rhoda.

— Je vous présente Jessica Howard, une invitée de tante Molly.

Les yeux gris parurent plus hostiles que jamais. Jessica n'eut plus aucune envie de serrer la main de cet homme.

— Ça va ? dit-il d'un ton brusque.

Elle se contenta de hocher la tête.

— Jessica voudrait aller au lac de l'Aigle et nous avons pensé à vous, expliqua Rhoda sans plus attendre.

Simon Benson s'appuya contre la palissade et rejeta son chapeau en arrière. Quelques boucles de cheveux noirs tombèrent sur son front.

— Le lac de l'Aigle, hein ? remarqua-t-il, songeur. Il y a au moins deux jours de route. Etes-vous déjà montée à cheval ? lança-t-il à Jessica avec ce même regard glacial.

Voilà bien un sujet qu'ils n'avaient pas abordé lors de leur rencontre au musée...

— Oui, en Angleterre, dit-elle calmement.

— Nous n'utilisons pas les mêmes selles ici.

Un vague sourire moqueur flottait sur ses lèvres. Il était

évident qu'il doutait de la voir s'adapter à une selle différente. Elle s'énerva.

— Le plus important est d'avoir une certaine habitude des chevaux, me semble-t-il.

Pour toute réponse, il lui adressa un regard insistant.

— Eh ! Je suis Danny.

Le petit garçon s'était dressé sur les étriers, lassé de se sentir ignoré.

— Bonjour Danny, répondit Rhoda avec bonne humeur. Viens donc nous rejoindre.

— Je ne peux pas. Je prends une leçon, répondit-il d'un air contrarié.

— Tu vas devenir aussi bon cavalier que ton père ?

— Non, s'écria-t-il les larmes aux yeux. Je déteste les cheveux, je déteste monter. Je suis tombé, mais *il* a dit que je devais montrer mon courage.

— Il a raison, répondit Rhoda. Tu es tombé ce matin ?

— Non. Cela fait quelques semaines, précisa Simon avec froideur. C'est bon, Danny, ajouta-t-il tu peux desseller le cheval et le conduire au pâturage.

Le petit garçon sortit du corral.

— La dernière fois que je t'ai vu Danny, tu étais un bébé, lui dit Rhoda. Ta maman était une de mes amies. Petites filles, nous étions voisines. Je m'appelle Rhoda.

Le petit garçon souleva son chapeau, découvrant des cheveux roux. Ses grands yeux dorés clignèrent face au soleil. Il regarda d'abord Rhoda puis Jessica.

— Vous connaissiez aussi ma mère ? lui demanda-t-il.

— Non. Je regrette, répondit-elle.

— Vas t'occuper du cheval, Danny, ordonna Simon.

— Je... Je ne peux pas.

Il promenait un regard suppliant d'une jeune femme à l'autre.

— Et pourquoi ? s'énerva Simon.

— La selle est trop lourde.

— Je viens t'aider, proposa Rhoda, visiblement charmée par les grands yeux dorés.

— Surtout pas ! Il doit apprendre tout seul.

— Bien sûr Simon. Mais pour l'instant il est trop petit.

— Allez Danny, avance !

La voix de Simon claqua comme un coup de fouet. Cette fois-ci Danny se mit en marche, tirant le poney derrière lui.

— Je vais le surveiller, insista Rhoda. Vous êtes un vrai tyran, Simon !

Abritant ses yeux contre la luminosité aveuglante du soleil, Jessica la regarda s'éloigner. Elle fut sur le point de la suivre afin d'échapper à l'hostilité qui émanait de Simon Benson comme un courant électrique.

— Maintenant vous allez peut-être m'expliquer comme vous m'avez trouvé.

Tant de froideur et de sévérité la firent sursauter. Elle lança à Simon un regard méfiant, tandis qu'elle commençait à trop bien comprendre son insinuation.

— Et ne me racontez pas encore que nous sommes faits pour nous rencontrer, ajouta-t-il avec un ricanement. Le destin n'a rien à voir dans cette visite.

Blessée par sa rudesse, Jessica s'efforça quand même de soutenir calmement son regard glacé.

— En effet, dit-elle. Cette rencontre n'a pas été organisée par le destin mais par ma grand-mère, précisa-t-elle avec une certaine désinvolture.

— Voilà une grand-mère très utile, ironisa-t-il. Et comment a-t-elle pu s'y prendre, si elle n'est plus en vie ?

— Je suis ici parce qu'elle a vécu à Clinton. Son père était un prêtre anglican et je suppose qu'elle a connu l'une de vos grand-mères. Rose Roberts.

Un instant, ses yeux gris clairs s'agrandirent. Mais il retrouva vite son regard sceptique.

— Vous allez un peu loin, non ? se moqua-t-il.

— Mais c'est vrai. Si vous ne me croyez pas, la prochaine fois que vous allez à Clinton, renseignez-vous à l'église. Demandez s'il n'y a pas eu un prêtre appelé Alan Simpson. Vous pouvez même voir sa tombe et son nom inscrit sur un ex-voto à côté de l'autel.

Elle remarqua avec plaisir que le visage de Simon perdait son expression de doute. Mais le regard restait hostile. Et cette hostilité la fit réagir, soudain, avec violence.

— Pour quelle raison me croyez-vous ici ? Vous pensez peut-être que j'ai trouvé votre nom et votre adresse à l'hôtel et que je vous ai suivi ? Vous ne doutez vraiment pas de votre séduction ! Eh bien ! ce n'est pas du tout cela. Je n'ai pas l'habitude de courir après les hommes.

— Non ?

— Non ! lui lança-t-elle, avec dégoût, la poitrine soulevée par la violence de sa réaction. Et je ne vois pas ce qui vous autorise à le penser.

— C'est très simple, répliqua-t-il. D'abord, vous me regardez avec insistance dans le hall de l'hôtel et dans l'ascenseur, puis vous débarquez dans ma chambre au moment où je prends une douche...

— Ce fut une erreur. Honnêtement. Et si je vous ai beaucoup regardé, c'est à cause de votre chapeau, l'interrompit-elle. Ici, tout est nouveau pour moi. Vous ne le comprenez donc pas ! De toute façon, je ne vous ai pas invité à vous asseoir à la table du petit déjeuner, vous devez bien l'admettre, ajouta-t-elle.

— Exact. Mais si je vous avais reconnue, je vous aurais évitée.

Il s'expliqua avec tant de froideur qu'elle eut l'impression de recevoir une douche glacée sur le visage. Elle en eut le souffle coupé tandis qu'il continuait :

— Et c'est vous qui avez engagé la conversation. Au musée aussi, d'ailleurs. Vous n'aviez pas à me parler, précisa-t-il... Je n'apprécie pas beaucoup les femmes entreprenantes...

C'était le comble ! De toute sa vie, elle n'avait ressenti ce besoin impérieux de gifler quelqu'un. Elle dut mettre ses mains dans le dos et les serrer très fort pour s'empêcher de passer aux actes.

— Je ne suis pas entreprenante, dit-elle entre ses dents. Mais j'ai voulu vous parler parce que...

Elle s'interrompit. Elle se souvenait d'avoir voulu relever le défi que semblait lui lancer son air distant et énigmatique.

— Parce que... relança-t-il, et ses yeux brillèrent comme de l'argent sous ses cils l'abritant de la luminosité solaire.

— Je voulais que vous me parliez un peu de vous, admit-elle avec sincérité. Est-ce mal de s'intéresser aux autres ?

Il releva un peu son chapeau, du revers de la main essuya la sueur sur son front, remit le chapeau en place afin d'éviter à ses yeux l'éclat du soleil.

— Tout dépend de ce que vous avez derrière la tête, dit-il sèchement. Vous voyez, quand je vous ai vue arriver avec Rhoda...

Il lui jeta un coup d'œil et laissa sa phrase en suspens, pinçant les lèvres comme s'il regrettait sa remarque. Il enchaîna sans amabilité :

— Quand voulez-vous aller au lac de l'Aigle ?

Jessica ne saurait donc jamais ce qu'il avait eu en tête en la revoyant...

— Le plus tôt possible, répondit-elle froidement.

— Qui vient avec vous ?

— Rhoda et Cindy Crawley.

— Et votre patron ?

— Il n'est pas avec nous. Il revient vendredi. J'aimerais, pour cette raison, ne pas perdre de temps.

Simon s'adossa à la clôture et passa ses pouces dans sa large ceinture. Il y avait une insolence dans son attitude décontractée qui attira l'attention de Jessica sur son corps musclé. Pour la première fois, elle sentit les battements de son cœur s'accélérer.

— Vous ne voulez pas qu'il sache que vous m'avez revu, je suppose, dit-il d'une voix nonchalante. Il imaginerait que nous avions tout manigancé derrière son dos et le convaincre du contraire vous prendrait un sacré bout de temps !

— Oh ! s'exclama-t-elle, je n'avais pas pensé à ça.

Elle le dévisagea. Ainsi, il avait déjà deviné la personnalité de James ! Elle ajouta :

— Vous n'aimez pas James, n'est-ce pas ?

— Il m'est indifférent, répondit-il de sa voix traînante. Mais il doit beaucoup vous plaire... Autrement, vous n'auriez pas laissé votre mari pour faire la moitié du tour du monde avec lui.

Il avait donc remarqué son alliance et tiré des conclusions, mais ce n'étaient pas les bonnes.

— Je n'ai pas délaissé mon mari. Je... Je suis veuve.

Elle fit cet aveu sans en souffrir et elle s'étonna. Le temps avait-il déjà fait son œuvre ? Deux ans lui avait dit sa mère. Oui, il faudrait bien deux ans, avant que la douleur s'apaise. Et il y avait deux ans !

— Vous me semblez un peu jeune pour être veuve.

Le doute ne le quittait pas. Il s'écarta de la palissade et se planta devant elle, gardant les pouces dans sa ceinture. Elle le regarda droit dans les yeux.

— C'est une façon comme une autre de faire des avances, dit-il, mais pour moi c'est nouveau. Vous pensez peut-être créer ainsi un point commun. Un tremplin pour une merveilleuse amitié, non ?

A nouveau, elle ressentit une terrible envie de le gifler, au point d'en éprouver des picotements au creux de la main. Rapidement, elle se détourna de lui, se retrouva face au soleil et tout lui sembla baigner dans une lumière rouge. Elle aurait rejoint la voiture sans un mot si Rhoda et Danny n'étaient revenus au même moment.

— Eh bien, Danny, tu as réussi à t'occuper du cheval ?

— Tante Rhoda m'a aidé.

— Tante ? s'étonna Simon d'une voix dédaigneuse. Dites-moi Rhoda, vous ne perdez pas de temps.

— Je n'en perds plus, répondit-elle, pleine d'entrain. J'en ai assez perdu dans le passé. Avez-vous mis au point la randonnée ?

— Pas encore.

— Mais alors de quoi avez-vous parlé, s'exclama Rhoda, le regard soupçonneux allant de Jessica à Simon avant de se fixer sur Jessica. Sûrement pas du temps, ajouta-t-elle avec ironie.

— Nous avons fait plus ample connaissance, répondit Simon sur un ton moqueur. Quant à la randonnée, poursuivit-il froidement, je suggère que vous partiez dimanche matin, de bonne heure. S'il n'y a pas de difficultés imprévues, vous serez de retour jeudi, dans la soirée. Joe Trip vous servira de guide, et je peux aussi vous donner Al Curtis pour vous aider à monter les tentes et à faire la cuisine. Le fait que Cindy vienne avec vous est une bonne chose. C'est une très bonne cavalière.

— Mais ne pourriez-vous pas venir au lieu de Al ? demanda Rhoda en tournant vers Simon un regard suppliant. Ce serait comme autrefois lorsque vous faisiez de longues promenades entre Lou et moi...

Rhoda mit aussitôt sa main devant sa bouche et murmura :

— Je suis désolée, Simon.

— Pourquoi ?

— De vous parler ainsi de Lou.

— Vous ne comprenez donc pas ? Je pense à elle

chaque fois que je regarde Danny ! répliqua-t-il durement, avant de se tourner vers Jessica. Ça vous va demain matin ?

— Oui, bien sûr. Que faut-il emmener ?

— Des sacs de couchage, des vêtements de rechange, et des cannes à pêche si le cœur vous en dit. Nous vous procurons les tentes, le matériel de cuisine et l'essentiel de la nourriture. Depuis combien de temps n'avez-vous pas fait de cheval ?

— Plus de deux ans.

— Alors ce ne serait pas une mauvaise idée de faire un peu d'exercice ce matin. Il faut vous habituer à une selle différente, sinon vous passerez votre première nuit en montagne à souffrir le martyre.

— Formidable s'écria Rhoda. Moi aussi, je ne suis pas montée depuis un moment... Pourquoi ne pas nous accompagner, Simon ?

Simon s'impatienta.

— Ecoutez, Rhoda, vous réclamez ma compagnie et je devrais être flatté, je suppose, mais vous devez comprendre : les choses ont changé en dix ans. Aujourd'hui c'est moi le patron ici et je n'ai plus beaucoup de loisir. Ce n'est pas un ranch pour touristes.

— Oh ! vous avez bien changé, c'est vrai.

Rhoda eut beau se moquer de Simon, sa voix trembla et elle ne put dissimuler sa déception. Elle regarda Danny tout occupé à soulever de la poussière avec la pointe de sa botte.

— Danny, demanda-t-elle d'une voix douce, voudrais-tu venir avec nous ? Ce serait plus agréable que de tourner autour du corral.

Le petit garçon adressa un regard plein d'espoir à son père. Simon fronça les sourcils.

— Tu aimerais Danny ? lui demanda-t-il sans y croire.

— Avec tante Rhoda ? Je peux ?

— Il faudrait seller ton cheval une seconde fois, lui répondit Simon.

L'enfant hésita.

— Je t'aiderai Danny, lui proposa Rhoda.

— C'est à toi de choisir Danny, précisa Simon.

— J'y vais, s'écria l'enfant avec sur le visage, une soudaine expression volontaire. Venez, tante Rhoda, dit-il en prenant Rhoda par la main. Allons seller Crackerjack.

— Maintenant, vous *devez* nous accompagner, Simon, cria-t-elle par-dessus son épaule. Je refuse de me rendre totalement responsable de ce petit diable. Je ne connais pas les pistes de la forêt. Nous risquerions de nous perdre, Simon.

Il fronça à nouveau les sourcils et marmonna quelques mots tout à fait irrespectueux à l'adresse des femmes.

— Vous n'avez vraiment pas le temps de venir ? lui demanda Jessica.

Il lui lança un regard oblique, les sourcils toujours contractés, les yeux comme deux glaçons. Puis, peu à peu, il parut se détendre.

— Pour une fois, d'accord, murmura-t-il. Vous pourriez vous perdre dans la forêt et je n'y tiens pas. Venez, je vais vous montrer votre cheval et vous aider à le seller.

C'était un jeune cheval appelé Snap. Il était très beau avec un pelage brun doré et une tête presque entièrement blanche. Simon précisa qu'il avait l'habitude des sentiers étroits. Il le sortit de l'écurie et hissa sur son dos une lourde selle.

— C'est une selle de gardien de troupeaux, expliqua-t-il en resserrant la sangle sous le ventre du cheval. On s'y sent plus stable.

Il l'aida à s'asseoir, vérifia la hauteur des étriers et leva les yeux vers elle.

— C'est confortable ? demanda-t-il.

— Oui. Très. J'ai l'impression de pouvoir faire des kilomètres.

— Pas étonnant. Ce genre de selle est fait pour les longues distances.

— Vous devriez aller aider Rhoda, suggéra-t-elle.

Simon lui lança un coup d'œil ironique.

— Elle n'a pas besoin d'aide. Elle a toujours su se débrouiller seule. Elle a autant de force et de résistance que certains hommes et beaucoup plus d'astuce que la plupart des femmes. Elle est même plus rusée que vous, ajouta-t-il sur un ton provocant avant de rejoindre le cheval noir qu'il avait sellé pour lui.

3

Le cuir des harnais et des selles craquait tandis que les chevaux avançaient le long d'un sentier étroit, à travers une prairie d'herbe haute étoilée de fleurs bleues, jaunes et blanches. Une rivière coulait en bordure de la prairie. Ses eaux vertes et miroitantes glissaient entre des pierres moussues. Ils la traversèrent sur un étroit pont en bois et pénétrèrent dans la forêt par une piste raide, serpentant à flanc de montagne.

Les rayons du soleil filtraient à travers les branches des sapins étroitement mêlées au feuillage léger des trembles et faisaient briller des roches recouvertes de lichen argenté. Sous le couvert des arbres on n'entendait uniquement le bruit d'une cascade.

Ils avançaient en file indienne. Simon était en tête. La piste redescendait vers un autre pont enjambant une gorge profonde, une autre rivière. De l'embrun jaillissait de l'eau tumultueuse et les éclaboussa. Tout près, l'eau devenait cascade dans un bruit de tonnerre.

Après le pont, la piste remontait avant de serpenter horizontalement à travers les arbres. Soudain, Jessica se retrouva dans une petite clairière inondée de soleil. Simon l'attendait. Détendu, il la regardait s'approcher

— Eh bien, que pensez-vous de mes talents de cavalière ? le provoqua-t-elle.

Il mena son cheval au côté de Jessica, prêt à s'accorder à son rythme.

— C'est mieux que la plupart, répondit-il laconiquement.

— La plupart ?

— La plupart des femmes, bien sûr.

— Venant de vous, je prends cela pour un compliment, remarqua-t-elle d'un ton léger.

— Prenez-le comme vous voulez. Ça m'est égal, lança-t-il froidement.

— Vous n'avez pas une haute opinion des femmes, n'est-ce pas ?

— Pourquoi ? demanda-t-il avec ironie. Les femmes sont très bien tant qu'elles restent à leur place.

— Laquelle ?

— Mais il n'y a qu'une place pour une femme dans la vie d'un homme. Et c'est son lit.

Jessica se sentit rougir.

— Ne serait-ce pas plutôt la maison ? demanda-t-elle d'une voix faible.

— Ce qui revient au même. Pour moi, la maison signifie repos et confort après la journée de travail. Et je veux bien y retrouver une femme, mais à une condition : pas d'instinct de possession. Je suis du genre indépendant et je déteste sentir que l'on veut me *posséder*. Comme un objet.

— Vous pensez au mariage ? demanda-t-elle sèchement tant elle était irritée par son cynisme désinvolte.

— Oui. Une situation dont je me passe fort bien.

— Vous vous êtes fait cette opinion, avant ou après votre mariage avec la mère de Danny ?

— Devinez, grommela-t-il.

Jessica se tut. Elle regrettait d'avoir fait allusion à la mort de sa femme.

Ils allèrent de l'avant à l'ombre de la forêt pommelée par les rayons du soleil, l'un derrière l'autre, ou côte à côte quand la largeur de la piste le permettait. Du lichen pendait aux branches basses des sapins, comme des colliers de perles grises à reflets verts. Un délicat parfum montait des aiguilles de sapins écrasées par les sabots des chevaux.

— Que pensez-vous des Montagnes Rocheuses ? demanda Simon.

— Fantastiques. Et quand on a vécu comme vous dans un tel paysage, on doit trouver tout le reste bien fade.

— Il m'est impossible de vivre ailleurs, je le sais. J'ai essayé. Comment trouvez-vous votre cheval ?

— Facile à monter.

— Oui. Mais faites attention à la façon dont vous utilisez le mors. Il est spécial. Il va avec ce genre de selle, seulement. Ne l'utilisez que pour réduire la vitesse pas pour changer de direction.

Jessica fut surprise par le conseil. Etait-ce une offre de paix ? Essayait-il de se faire pardonner son accueil plutôt brutal ?

Elle lui lança un regard oblique. Son profil se dessinait, sombre et étrange, contre le fragile écran des bouleaux et des trembles fortement éclairé par le soleil. Il montait avec une aisance déconcertante, son corps souple se balançant légèrement au rythme du cheval, une main sur la cuisse, l'autre tenant les rênes.

— Vos chevaux descendent-ils tous de ceux que votre grand-père amena un jour au ranch ? demanda-t-elle, entraînée par le ton plus amical de Simon.

— Qui vous a parlé de mon grand-père ? Rhoda ? Ou votre grand-mère ? répliqua-t-il.

— Rhoda m'a expliqué les origines du ranch. Mais je ne vous oblige pas à m'en dire plus.

Il lui lança un regard ironique.

— D'accord. Parlons-en si cela peut satisfaire votre curiosité, dit-il avec un sourire moqueur. Effectivement je dois ces chevaux à ce nomade timide que fut Sam Benson.

— Pourquoi nomade ?

— Parce qu'il le fut avant son arrivée au ranch. Rien ne l'intéressait à part les chevaux et l'élevage. Il amena des chevaux robustes, très demandés par les fermiers et par tous ceux qui entreprenaient de longs déplacements à travers les prairies ou les montagnes. Mais à la mort de mon grand-père la demande était déjà moins forte.

— Pourquoi ?

— La mécanisation des fermes... Mon père s'est alors procuré du bétail et de la volaille. Il a toujours eu quelque chose à vendre tout en subvenant aux besoins du ranch. C'est le secret des bons fermiers.

— Mais il a gardé les chevaux ? demanda Jessica.

— Quelques-uns pour faire plaisir à ma grand-mère. La demande allait revenir, disait-elle. Et elle avait raison. Avec la création des parcs nationaux, les touristes sont nombreux à vouloir louer des chevaux.

Simon fit une pause avant d'ajouter :

— Vous voyez, je sais m'occuper de chevaux, de bétail et de moissons. Mais c'est tout !

— Si vous êtes heureux ainsi, pourquoi pas ?

— C'est bien mon avis, répondit-il légèrement surpris en lui jetant un coup d'œil alerte. Attendez ! Ici je vous précède. La piste devient étroite et très escarpée. Attention aux branches basses. Vous pourriez vous crever un œil.

Jessica fut attentive. Son cheval ne trébucha pas une seule fois mais suivit de très près la monture de Simon jusqu'au moment où ils débouchèrent sur une vaste prairie, éblouissante de soleil.

L'herbe était parsemée de fleurs roses, pourpre, jaune d'or. Au centre, un petit lac aux eaux claires frémissait de reflets verts.

Au-delà de la prairie, les pentes boisées cédaient la place à des rocs gris, étinçelants sous le soleil. Comme les marches d'une pyramide géante, ils montaient jusqu'au sommet, pointe acérée contre le bleu tendre du ciel.

— Voilà ! annonça Simon en retenant son cheval. Pour aujourd'hui nous n'allons pas plus loin. Le lac de l'Aigle se trouve face à nous, mais à haute altitude.

Rhoda fit demi-tour pour les rejoindre, suivie de Danny.

— Je me souviens bien de cet endroit, dit-elle. Il n'a pas beaucoup changé. A part quelques arbres morts en plus.

— Et de nouveaux, précisa Simon, le regard fixé sur un bouquet de jeunes sapins. Les arbres morts, les feuilles en décomposition, la mousse donnent de nouveaux arbres, de nouvelles fleurs, une nouvelle vie.

Un poète qui s'ignore, pensa Jessica avant de murmurer :

— Tout est si calme ici... Où sont donc les animaux de la forêt ?

— Je ne me sens pas très rassuré, dit Danny en promenant un regard circulaire sur le paysage. Va-t-on rencontrer un grizzli, papa ?

— Pas à cette époque de l'année. Mais un ours noir, peut-être.

— Quelle différence y a-t-il entre les deux ? demanda Jessica.

— Les grizzlis sont énormes, expliqua Simon. Et ils ont des bosses sur le dos. Les autres sont plus petits, n'ont pas de bosses et préfèrent les forêts à l'altitude.

Danny rapprocha instinctivement son cheval de celui de son père et lui demanda :

— Que ferais-tu si un ours arrivait, papa ?

— Je partirais aussitôt mais contre le vent. Comme cela il ne pourrait pas repérer mon odeur.

— Mais supposez qu'il vous barre la route ? intervint Jessica.

— Alors je ne bougerais pas. Je m'étendrais sur le sol et je ferais le mort. Les ours ne sont vraiment dangereux que lorsqu'ils craignent pour leurs petits ou pour leur nourriture.

— Je serais incapable de garder un tel sang-froid, s'exclama Jessica.

— Moi je pourrais, lança Rhoda.

— Nous rentrons maintenant, annonça Simon. Par un chemin différent.

Jessica se rapprochait de Simon quand Rhoda s'interposa.

— A mon tour, dit-elle avec un sourire un peu forcé.

— Que voulez-vous dire ? demanda Jessica.

— C'est à mon tour d'avoir la compagnie de Simon. Vous aurez celle de Danny, précisa-t-elle sur un ton acide avant de lancer son cheval au galop.

— Tante Rhoda, attendez-moi ! Attendez-moi ! cria Danny.

Il tenta de la rattraper. Mais Crackerjack d'un tempérament trop calme ou trop paresseux se contenta de trotter. Ainsi il fut facile à Jessica de rejoindre Danny tandis que Simon et Rhoda pénétraient sous le couvert des arbres.

— Elle m'a laissé, se plaignit-il, complètement déconcerté.

— Ne t'en fais pas. Je reste avec toi. Parle-moi des animaux de la forêt. Ce matin, un petit animal avec des rayures sur le dos me regardait à travers la fenêtre de ma chambre.

— Ce devait être un tamia, répondit-il avec sérieux. Il y en a des centaines par ici. Vous n'en aviez jamais vu ?

— Non. On n'en trouve pas dans mon pays.

— Oh ! Vous n'êtes pas canadienne, alors ?

— Non. Je suis anglaise.

— Y a-t-il de grandes villes, là-bas, comme Edmonton ?

— Oui. Mais nous n'avons pas de hautes montagnes comme vous. Et les ours comme les tamias sont dans des zoos.

— J'aime les villes, avoua Danny. Je suis né à Edmonton. Ma grand-mère et mon grand-père disent que je peux aller vivre là-bas avec eux, mais mon père ne veut pas. Je le hais et je hais aussi les chevaux.

A leur tour ils entrèrent dans la forêt. La piste était assez large pour qu'ils puissent chevaucher côte à côte. Choquée par la haine de l'enfant pour son père, Jessica l'observa du coin de l'œil. En fait, il se tenait sur ce cheval avec la grâce d'un sac de pommes de terre et parfois tirait sur les rênes sans raison.

Cet enfant devait être une grande déception pour Simon Benson. Lui qui ne pouvait vivre qu'entre les chevaux, le fourrage et le bétail. Pourquoi s'entêtait-il à le garder auprès de lui ? Il avait la possibilité de mettre fin à leur antagonisme. Et Danny pourrait alors voir le ranch d'un autre œil et peut-être finir par l'apprécier... Jessica secoua la tête, irritée. Tout cela ne la concernait pas.

Mais pouvait-on changer sa nature par un simple mouvement de tête ? Elle se mit à interroger l'enfant sur ses grands-parents. Il parla facilement, avec fascination, de leur appartement au quinzième étage d'un immeuble en bordure de la rivière, avec un balcon, des ascenseurs, une télévision en couleur... La liste des avantages matériels risquait d'être longue. Jessica interrompit Danny par une autre question. Elle apprit ainsi l'existence d'une autre grand-mère : la mère de Simon.

— Vit-elle au ranch ?

— Non. Dans un appartement à Calgary avec oncle Ted son deuxième mari. Elle aime vivre en ville, elle aussi. Toute la famille pense que papa est fou de rester ici. Un jour, s'il ne me laisse pas faire ce que je veux, je me sauverai...

— Mais pourquoi ces critiques contre ton père ? Qu'y a-t-il de mal à s'occuper d'un ranch ?

— Grand-mère Grace, sa mère, dit qu'il pouvait faire mieux.

— Tu sais, à mon avis, la culture de la terre, l'élevage du bétail et des chevaux demandent souvent beaucoup d'intelligence.

Le petit garçon se tut. Les chevaux avançaient à travers la gorge profonde. Cette fois-ci, sous le pont en bois, point de cascade, mais une eau qui se précipitait en grondant entre les hautes parois rocheuses couvertes de mousse.

Ils quittèrent la forêt. Devant eux, Simon et Rhoda chevauchaient côte à côte, mais quand ils arrivèrent devant l'écurie, ils ne virent que le petit homme en jean râpé.

— Ton père t'attend à la maison pour le déjeuner, annonça-t-il à Danny.

— Où est tante Rhoda ?

— Dans la voiture, je suppose. Tu as fait une belle promenade, petit ?

— Oui, c'était très bien, répondit Danny sans aucun enthousiasme.

Une voix féminine cria son nom. La personne se tenait à l'arrière de la maison. Elle avait une forte carrure, des cheveux raides et coupés court et portait un pantalon noir et un chemisier rouge.

— Je viens Mary ! cria Danny avant de se tourner vers

Jessica. C'est Mary Trip. Elle s'occupe de la maison... A bientôt Jessica, ajouta-t-il avec un grand sourire qui effaça toute morosité sur son visage.

— A bientôt Danny. A dimanche, peut-être? Tu pourrais venir avec nous au lac de l'Aigle, non ?

— Vous aimeriez que je vienne? demanda-t-il sur un ton pathétique.

Jessica fut émue.

— Bien sûr ! J'ai un frère du même âge que toi. Nous sommes souvent allés camper ensemble.

— Il... Il me faudra demander la permission à papa, dit-il, hésitant, alors qu'on l'appelait à nouveau.

— Dis-lui que je t'ai invité... A bientôt.

Jessica le regarda s'éloigner puis contourna le ranch. Maintenant le soleil était presque au zénith. Il brûlait la peau. Quand elle voulut ouvrir la portière de la voiture, le contact de la poignée fut presque insupportable. A l'intérieur, la chaleur était étouffante et l'air chargé de fumée bleue. Rhoda semblait avoir oublié la cigarette entre ses doigts tandis qu'elle se rongeait les ongles de l'autre main, le front soucieux et le regard fixé sur le pare-brise.

Jessica ne comprenait pas. Elle s'assit sans un mot et baissa la vitre de la portière. Rhoda démarra nerveusement et la voiture retrouva les ornières du chemin qui conduisait à la grand-route.

Le silence morose de Rhoda était-il dû à la chaleur de midi ou s'était-il passé quelque chose entre elle et Simon sur le chemin du retour ?

— Quelle chaleur ! s'exclama Jessica en prenant son mouchoir pour se sécher le front.

— Il fera encore plus chaud cet après-midi... La promenade vous a plu ? Pas de courbatures ?

— Pas encore... Ça m'a beaucoup plu. Et vous ? Vous semblez avoir perdu votre bonne humeur.

Rhoda lui lança un regard prudent.

— Les choses ne se sont pas passées comme je l'espérais, dit-elle, le regard à nouveau fixé sur la route. Je suis sans doute revenue trop tard. Ou mieux : je n'aurais pas dû partir après la mort de Lou.

— Lou était la femme de Simon, n'est-ce pas ? Votre amie ? demanda Jessica.

— Oui. Enfin, je le croyais, jusqu'au jour où elle a épousé Simon. Je l'avais rencontré avant elle au cours de vacances avec tante Molly. J'avais dix-huit ans et l'été était magnifique. Je suis tombée amoureuse pour la première fois.

— De Simon ?

— Oui. Il avait vingt-deux ans. Son père lui avait confié l'organisation de randonnées. Il avait renoncé à ses études et n'avait qu'un seul désir : vivre au ranch.

— Il est tombé amoureux de vous ?

Rhoda eut un rire sec.

— Les hommes sont-ils vraiment capables d'amour ? Vous avez été mariée. Votre mari vous a-t-il dit une seule fois qu'il vous aimait ?

Jessica se mit à rougir.

— Mais bien entendu. Autrement je ne l'aurais pas épousé.

— Vous l'a-t-il dit ? insista-t-elle, incrédule et vaguement moqueuse tout en freinant avant de s'engager sur la grand-route.

— Oui, il me l'a dit, répondit Jessica, étonnée de garder une voix si calme en dépit de l'émotion qui surgissait avec les souvenirs. Le mariage n'est pas uniquement fondé sur l'attirance physique.

— On le dit... murmura Rhoda sans conviction.

La voiture roulait en direction du sud et le soleil était aveuglant. Rhoda avait mis ses lunettes noires et abaissé le pare-soleil. Avec la vitesse, l'air s'engouffrait par les vitres baissées et rafraîchissait la température à l'intérieur.

— De toute façon, continua Rhoda, cet été-là, Simon ne m'a pas parlé d'amour. Mais nous avons beaucoup chevauché ensemble et il semblait se plaire avec moi. L'année suivante j'ai sauté sur l'invitation de tante Molly. Et comme elle me suggérait d'amener une amie pour me tenir compagnie, je n'ai pas hésité à inviter Lou.

Rhoda fit une pause avant d'ajouter amèrement :

— J'ai fait ce jour-là la plus grosse erreur de ma vie.

— Pourquoi ? Il est tombé amoureux d'elle ?

— Je ne sais pas. Mais Lou, elle s'intéressait vivement à lui et ne le lâchait pas d'une semelle.

— Comment était-elle physiquement ?

— Petite, très jolie, le visage auréolé de cheveux roux clair et de grands yeux dorés. Elle avait une façon de parler et de marcher que je trouvais franchement provocante.

— Elle était étudiante avec vous ?

— Oh non. Elle avait préféré travailler dans un magasin. Elle adorait les vêtements et les produits de maquillage. Nous n'avions qu'une chose en commun : nos pères étaient des émigrés allemands. Je l'avais invitée parce qu'elle était l'aînée d'une famille nombreuse pas très fortunée. Elle restait toujours à Edmonton pendant l'été.

— Et que s'était-il passé ?

— Apparemment pas grand-chose... A la fin des vacances nous sommes retournées à Edmonton. Ensuite je n'ai pas revu Lou pendant un bon moment. Mes parents s'étaient installés à Calgary et moi je vivais à la cité universitaire... Un jour, je suis tombée par hasard sur elle. Elle m'a annoncé son mariage avec Simon. Elle était aux anges. Ils se sont donc mariés mais cinq mois plus tard elle le quittait pour retourner auprès de ses parents.

— Pourquoi ? s'étonna Jessica.

— Elle n'aimait pas la vie au ranch, je suppose.

— Qu'a-t-il fait ?

— Il n'a pas bougé jusqu'au jour où les parents de Lou l'ont appelé. Elle était enceinte et sa grossesse était difficile. Il s'est trouvé un travail sur place, au ministère de l'Agriculture. Ce n'était pas sa première tentative de vie à la ville mais encore une fois il y fut malheureux comme les pierres.

Jessica garda le silence, le regard tourné vers la terre vallonnée. Elle revoyait la promenade du matin et elle entendait à nouveau Simon lui parler de la vie au ranch.

— Il devait être très amoureux d'elle pour se décider à quitter le ranch, remarqua-t-elle finalement.

— On pouvait le penser en effet, répliqua Rhoda. Mais au printemps suivant Simon a ramené Lou et l'enfant, ici. M. Benson avait eu une attaque. Il avait besoin de son aide. Lou a passé l'été au ranch et en automne elle est repartie avec Danny. Cette fois-ci Simon est resté.

— Comment est-elle morte ?

— Brûlée.

— Quelle horreur ! Et dans quel incendie ?

— Celui de son appartement. Simon venait justement lui rendre visite. Quand il est entré, il a vu une fumée épaisse sortir de la cuisine. Il a saisi Danny à bras-le-corps puis il est revenu pour Lou. Lui aussi a été sérieusement brûlé. Vous avez peut-être remarqué ses mains couvertes de cicatrices. Lou est morte pendant son transport à l'hôpital.

Jessica fut envahie par un sentiment d'horreur. Elle resta silencieuse, égarée par sa propre réaction. Elle n'avait pas éprouvé d'émotion aussi profonde depuis bien longtemps.

— J'aurais dû rester, je le vois maintenant, enchaîna Rhoda. Mais je voulais lui laisser le temps de se remettre. Je suis allée terminer mes études à Toronto, on me donnait l'occasion d'y préparer un diplôme intéressant. Puis on m'a proposé un poste de professeur en Afrique. Et maintenant...

Elle trembla un peu en reprenant sa respiration et ajouta avec désespoir :

— Simon est différent. Il s'est durci. Il a été très désagréable avec moi sur le chemin du retour. Comme s'il me portait une sorte de rancœur.

— Oh, sûrement pas. Il doit se méfier des femmes, en général. Et après son expérience avec Lou, ce n'est pas surprenant.

— Vous croyez ? demanda Rhoda, l'air interessée. Oui, mais il m'a connue avant Lou. Il ne devrait pas se méfier de moi.

— Vous le trouvez différent. Peut-être pense-t-il la même chose de vous. Croyez-vous n'avoir pas changé en onze ans ?

— Vous devez avoir raison, répondit Rhoda en riant au moment où elle quittait la grand-route pour retrouver le chemin du lac Narrow. Mais je crois aussi qu'il aurait mieux valu que je le revoie sans vous. Votre présence n'a rien arrangé.

— Comment dois-je le prendre ? demanda Jessica en arborant un sourire.

— Excusez-moi. Je voulais dire que vous aviez accaparé l'attention de Simon.

— Ce ne fut pas intentionnel, je vous le jure.

— D'accord. Mais pour deux personnes qui se rencontraient pour la première fois, vous aviez vraiment beaucoup de choses à vous dire. Et il vous a bien aidé à seller votre cheval sans faire le moindre effort pour moi.

La voix de Rhoda trahissait la jalousie. Elle en devenait rauque, et Jessica jugea plus sage de ne pas évoquer sa rencontre avec Simon, à Edmonton. Elle risquerait d'être aussi mal interprétée par Rhoda qu'elle ne l'avait été par James.

— Il m'a aidée parce que j'étais incapable de me débrouiller seule. Tout est nouveau pour moi ici, répondit-elle froidement. Et s'il m'a beaucoup parlé c'était pour satisfaire ma curiosité au sujet du ranch et de la région. Rien de plus.

— Je n'en suis pas si sûre, insista Rhoda en garant la voiture devant le chalet, à l'ombre d'un érable. Et je serais curieuse de voir s'il va nous accompagner au lac de l'Aigle.

La main sur la poignée de la portière, Jessica se retourna. Rhoda l'observait avec une lueur narquoise au fond des yeux.

— Pourquoi ? demanda Jessica.

— Parce que s'il vient ce sera pour vous revoir.

— C'est ridicule. S'il vient, ce sera uniquement pour accompagner Danny, comme il l'a fait aujourd'hui.

— Oh, mais oui. Il est très capable de prendre l'enfant comme prétexte. Simon n'a jamais été simple. Il s'est toujours tenu à distance et ça continue.

— Vous vous trompez d'adversaire, répliqua Jessica en étouffant un petit rire.

— Que voulez-vous dire ?

— Vous êtes sous le coup de votre déception et vous vous laissez entraîner par votre imagination. Je ne ressemble pas à Lou. Je ne cherche pas à me faire épouser. J'ai été mariée. Il... Il faut du temps avant de pouvoir aimer à nouveau.

— Mais vous ne comprenez donc pas ? C'est exactement ce qui intéresse Simon. Lui non plus ne désire pas se marier et il ne vit pas comme un moine. Les liaisons brèves et sans complication sentimentale lui conviennent parfaitement. Vous êtes ici de passage. Vous êtes séduisante. Vous sortez à peine d'un long engourdissement dû à la mort de votre mari. C'est parfait pour...

— Taisez-vous ! Rien n'arrivera entre Simon et moi. Si je dois avoir une aventure ce sera avec... avec mon patron.

— Vraiment ? Vous savez, Jessica, je ne sais jamais quand vous plaisantez. Vous avez un visage sérieux mais un regard malicieux. Vous pensez ce que vous venez de dire ?

— Eh bien, il m'a avoué à Edmonton qu'il ne me considérait plus comme sa fille. Ce ne devait pas être sans arrière-pensée, n'est-ce pas ?

Jessica parlait avec légèreté, heureuse de distraire Rhoda de ses sombres pensées.

— Peut-être bien, admit Rhoda. Vous savez, Jessica, je suis désolée. Je suis allée trop loin, tout à l'heure. Mais j'avais tant attendu de revoir Simon et...

— Je comprends. Et si j'étais à votre place j'oublierais ce qui s'est passé ce matin. Vous aurez plus d'une fois l'occasion de le rencontrer et moi je serai de l'autre côté de l'Atlantique... Peut-on aller nager maintenant ?

— Bien sûr ! Cindy et Molly ont déjà l'air d'être dans le lac.

Rhoda était à nouveau radieuse, avec cette belle confiance en elle-même qui avait dû faciliter sa carrière de professeur.

L'eau du lac picotait la peau tant elle était fraîche et même par cette chaude après-midi on ne pouvait s'y prélasser. Après deux plongeons rapides dans les profondeurs bleues et or, Jessica rejoignit les autres pour le déjeuner composé de sandwiches au jambon et aux crudités. Elles burent le thé glacé que Molly avait apporté sur un plateau.

Ensuite elles prirent un bain de soleil et parlèrent à bâtons rompus de la randonnée. Molly avait trouvé un sac de couchage pour Jessica. Il ne faudrait pas oublier les imperméables.

— Quelquefois le temps tourne à l'orage même à cette époque de l'année et si nous n'avons pas les vêtements nécessaires, Joe Trip sera furieux, expliquait Cindy quand le bruit d'une voiture attira son attention. Oh, regardez ! s'exclama-t-elle, voilà Jan Petersen.

Molly quitta aussitôt la chaise longue où elle avait lu son roman.

— Bien ! dit-elle. Je savais qu'il campait dans la région et je lui avais dit de passer sur le chemin du retour. Hé Jan ! cria-t-elle au géant blond et barbu. Nous sommes sur la plage !

Molly fit les présentations. Jan était un naturaliste et préparait son diplôme à l'université d'Edmonton tout en travaillant comme assistant en histoire naturelle. Grand et mince, vêtu de l'inévitable chemise à carreaux, il s'installa sur la plage auprès d'elles et parla avec une certaine timidité de ses aventures de campeur au long de la piste du Caribou, en Colombie Britannique.

— Quand Cindy évoqua la randonnée au lac de l'Aigle, il parut très intéressé.

— Aurais-je une chance de me joindre à vous ?

— C'est Jessica qui décide, répondit Cindy.

— Pourquoi pas ? Plus l'on est de fous, plus l'on s'amuse, répondit Jessica en riant. Mais il faudrait tout de suite avertir le loueur de chevaux !

— C'est facile, précisa Molly. Cindy peut aller téléphoner chez les Mackay. Pour cette nuit, vous pouvez camper ici Jan. Et vous gagnerez votre dîner en nous offrant quelques chansons.

— Des chansons ? demanda Rhoda, jusqu'alors silencieuse.

— Mais oui, répondit Molly. Jan joue de la guitare et chante des chansons folkloriques que j'adore.

— Vous ne me reconnaissez pas ? s'étonna Jan, presque agressivement.

Rhoda le dévisagea.

— Je devrais ? dit-elle d'une voix traînante tout en cherchant une cigarette.

— Nous étions dans le même cours de biologie, il y a une dizaine d'années, marmonna-t-il d'une voix précipitée.

— Oh c'est vous Jan Petersen ! s'exclama Rhoda. Votre barbe vous change. Eh bien en voilà une coïncidence !

— Ce n'en est pas une, répliqua-t-il aussitôt. Je savais par Molly que vous seriez ici et je voulais vous voir.

— Jessica, voulez-vous m'accompagner chez les Mackay ? suggéra Cindy.

— Avec plaisir. J'enfile un short et un chemisier.

Elles suivirent le sentier qui contournait le lac. Il était ombragé, du côté de l'eau, par des trembles aux feuilles frémissantes et de l'autre côté par de grands sapins tout raides.

— Rhoda exagère quelquefois, laissa échapper Cindy.

— Pourquoi ? demanda Jessica surprise par la critique.

— Elle a prétendu ne pas reconnaître Jan. Or ils sortaient ensemble lorsqu'ils étaient étudiants.

— Mais il n'avait pas de barbe, précisa Jessica pour la défense de Rhoda. Cela doit beaucoup le changer.

— Jan n'est pas le genre de personne que l'on oublie facilement. Il est si grand et si blond. Rhoda a dû faire exprès de ne pas le reconnaître. Elle a tellement en tête de renouer avec Simon Benson ! Elle lui a sûrement demandé de nous accompagner demain.

— Elle l'a fait.

— Et qu'a-t-il dit ?

— Il n'a pas vraiment répondu.

— Espérons qu'il ne viendra pas. Cela donnerait à Jan une chance de renouer avec Rhoda.

— Seriez-vous une marieuse ? Je ne vous voyais pas comme ça, répondit Jessica en riant.

— Je ne le suis pas. Mais je trouve Jan très bien.

La maison d'été des Mackay résonnait de voix d'enfants et de jappements de chiens. Cindy téléphona puis invita tout le monde à un barbecue, le soir même, au chalet de Molly. Elle s'attarda un moment avec Jessica chez les Mackay. Quand elles retrouvèrent le chalet, Jan préparait déjà le brasier sur lequel on grillerait la viande en plein air.

Dans la cuisine, Rhoda coupait des tomates en rondelles, elle les mettait au fur et à mesure dans un grand saladier en bois qui contenait déjà des concombres et de la laitue. Molly sortit des assiettes et des couverts et Cindy alla les disposer sur deux tables de pique-nique dressées sur la pelouse.

— Vous savez griller la viande sur un feu de bois ?

— Je ne l'ai jamais fait, répondit Jessica à la question de Molly.

— Eh bien c'est le moment de découvrir l'une de nos plus anciennes institutions estivales. Portez cette viande à Jan. Il va vous montrer comment faire.

Pendant que la viande cuisait sur le grill, les Mackay arrivèrent en force, apportant avec eux une caisse de bière et une autre de boissons non alcoolisées.

Jan annonça joyeusement que l'on pouvait commencer à se servir et chacun vint remplir son assiette de viande grillée et de salade. Le soleil disparaissait peu à peu derrière les montagnes, en laissant dans le ciel des traînées mauves. Les ombres s'allongeaient de plus en plus et une petite brise vint agiter les feuilles des bouleaux et des trembles et rider la surface du lac.

A la demande de Molly, Jan alla chercher sa guitare. Jessica connaissait certains airs comme la *Vallée de la rivière rouge*. Certaines mélodies étaient l'œuvre d'un chanteur canadien s'inspirant du folklore et parmi elles, Cindy expliqua à Jessica qu'elle aimait particulièrement : *Sous la pluie du petit matin*.

En écoutant la voix agréable de Jan au milieu de ce groupe amical, assis dans la lumière mauve du couchant, Jessica se sentait bien. Elle aimait leur simplicité, cette façon de l'adopter sans poser de questions, comme s'ils la connaissaient depuis toujours.

Les conversations, les chansons et les rires auraient pu durer jusqu'à l'aube si Molly n'avait rappelé aux futurs excursionnistes qu'ils devaient être prêts à huit heures du matin.

Jessica dormit profondément. Elle fut réveillée par Cindy et s'habilla rapidement d'un jean et d'un pull. Molly lui avait prêté de solides bottes de cuir et Cindy une veste moletonnée avec un capuchon, très utile en haute altitude.

Joe Trip les attendait. Il devait avoir environ soixante ans. Il était très mince et avait visiblement l'habitude du grand air. La couleur de sa peau, ses pommettes hautes et son nez légèrement aplati trahissaient son sang indien. Il donna ses instructions à Al Curtis, le petit homme que Jessica avait déjà vu la veille. Il utilisait un curieux langage. Celui des Indiens Cree expliqua Cindy à Jessica.

— Le patron vient-il avec nous ? demanda Rhoda, très directe.

Il chargeait un équipement de camping sur le dos d'un cheval, entassant le matériel dans de grands sacs de toile.

— Non. Il ne vient pas, répondit-il de sa voix douce. Il a trop de travail, je pense.

— Et Danny ? insista Rhoda.

— Je ne l'ai pas vu dans les parages ce matin, précisa-t-il sur le même ton. Il est temps de partir.

Jessica fut soulagée par l'absence de Simon. Ainsi Rhoda ne pourrait plus tirer de conclusions hâtives. Mais dès qu'elle fut en selle, elle éprouva une curieuse déception. Elle aurait vraiment aimé découvrir le lac de l'Aigle en compagnie du petit-fils de Rose Roberts, la femme qui avait autrefois montré le chemin du lac à sa propre grand-mère.

Quand il les vit tous en selle, Joe Trip monta à son tour sur son cheval et leur recommanda d'avancer les uns derrière les autres.

Au sortir de la forêt, déjà traversée la veille, ils continuèrent à travers la prairie, en diagonale. Jan vint chevaucher à côté de Jessica et répondit aux nombreuses questions qu'elle lui posa sur les fleurs de la prairie.

— Regardez cette touffe de fleurs couleur de feu. On l'appelle le pinceau de l'Indien. Je la trouve aussi impressionnante parmi tout ce vert que des flammes sur les pentes de ces montagnes.

— Y a-t-il souvent des incendies ? demanda Jessica.

— Oui. En dépit des avertissements et des précautions. Vous verrez, plus haut quels ravages le feu peut faire.

Il désigna le flanc de la montagne devant eux. Il était couvert de piquets noirâtres, restes calcinés de grands et beaux sapins.

La piste ne cessait de monter. Ils traversèrent le lit d'un torrent sur un pont de bois avant de chevaucher parmi la rocaille. Joe suivi des trois chevaux porteurs du matériel commençait à prendre de l'avance.

La forêt se clairsemait et dans le silence de la nature on n'entendait que le bruit des sabots ferrés sur les cailloux du chemin. Jetant un coup d'œil derrière elle, Jessica put voir le vert bleuté des pins mêlé au vert un peu jaune des grands sapins et à la couleur rouille des troncs d'arbres morts.

A un nouveau tournant de la piste sinueuse, elle sentit un vent frais se lever. Une plaque de neige brillait à l'horizon. Un oiseau vola tout près d'elle, tache jaune contre la roche grise et Jan se retourna pour annoncer son nom : un jaseur des cèdres.

Il était plus de midi et leurs jambes devenaient douloureuses quand ils s'engagèrent enfin dans un col, entre deux hautes crêtes. Ils rencontrèrent un petit lac où les chevaux burent avidement. Une source jaillissait d'une fissure dans la roche, bondissait sur les pierres et formait un petit torrent dans la brume bleue d'une profusion de myosotis.

Joe prépara un feu sur lequel il mit à chauffer deux seaux remplis d'eau en les suspendant à un bâton entre deux fourches plantées dans le sol. Il fit du café et distribua des sandwiches. Dans l'air pur mais frais chacun offrait son visage à la douce caresse du soleil.

Soudain, Al Curtis se leva. Il s'écarta du groupe et tendit l'oreille. Puis il revint et parla à Joe.

— Que se passe-t-il ? demanda Rhoda.

— Il y a quelqu'un d'autre sur la piste.

— Un autre groupe en route vers le lac de l'Aigle ? suggéra Cindy.

— Non. Un cavalier solitaire, précisa Al.

— Comment savez-vous ? s'étonna Jessica.

— Un seul cheval. Un seul harnais.

— Nous devrions l'attendre, proposa Rhoda. Nous avons peut-être oublié quelque chose et le patron du ranch vient nous l'apporter.

— Nous n'oublions rien, madame, précisa Joe Trip. Et de toute façon ce n'est pas le patron qui se dérangerait. Mais on va attendre...

Ils étaient prêts à repartir quand Al Curtis releva la tête comme un animal qui cherche dans le vent les effluves du danger.

— Il est tout prêt de nous maintenant. Il avance lentement. Il est fatigué, murmura-t-il.

Ils tournèrent tous leurs regards vers l'entrée du col.

Un poney blanc, marron et noir contournait le bouquet de pins rabougris. Son cavalier coiffé d'un chapeau de cow-boy, bringuebalait en tous sens.

— C'est Danny ! s'exclama Rhoda.

Elle jeta à Jessica un regard triomphant. Puis toutes deux gardèrent les yeux braqués sur les arbres dans l'attente fiévreuse d'un cheval noir et d'un autre chapeau. Mais Danny semblait bien être seul.

Il était pâle mais visiblement heureux.

— J'ai réussi ! J'ai réussi ! criait-il. Je vous ai rattrapée Jessica !

— Ton père est au courant ? marmonna Joe Trip en prenant les rênes du poney.

— Non. J'ai attendu qu'il soit à Clinton. J'ai sellé Crackerjack tout seul, affirma-t-il dans l'attente de l'approbation générale. Quel sacré chemin j'ai fait ! Vous pourriez me donner quelque chose à manger et à boire ?

— Bien sûr, petit, répondit Joe en l'aidant à descendre de sa monture. Mais tu as eu tort de ne pas avertir ton père.

— Je voulais tant venir expliqua Danny, son petit visage s'assombrissant.

— Pourtant il te faudra retourner, affirma Joe. Al t'accompagnera.

Des larmes brillèrent dans les yeux de Danny.

— Ne pourrait-il pas rester ? implora Jessica. Je l'avais invité. Je serai responsable de lui.

Joe repoussa son chapeau et le réajusta sur le sommet de son crâne.

— Son père ne va pas beaucoup apprécier, madame. Et il va se faire du souci en revenant de Clinton.

— Je lui ai laissé un mot, expliqua Danny. Et j'ai dit à Mary où j'allais.

— Elle n'a pas essayé de t'en empêcher ? demanda Joe.

— Elle ne m'a pas cru, précisa-t-il avec un sourire

espiègle. S'il te plaît, Joe, laisse-moi continuer avec vous. Papa ne sera pas fâché. A mon âge il avait déjà fait cette randonnée plusieurs fois.

Joe se gratta la nuque. Il plongea son regard dans les yeux de Jessica résolument fixés sur lui.

— Je devrais envoyer Al rassurer le patron, marmonna-t-il.

— Eh bien faites-le s'empressa de répondre Cindy. Nous mettrons la main à la pâte tant que Al ne sera pas revenu.

Joe eut une moue dubitative en prenant le temps de réfléchir.

— D'accord, dit-il enfin de sa voix traînante. Nous allons faire comme ça.

Danny poussa un cri de joie et Al se mit en route.

Quand Danny eut avalé quelques sandwiches et bu une grande rasade d'eau fraîche, Joe reprit la tête du groupe, suivi des trois chevaux de somme. Il se dirigea vers un passage très étroit entre deux parois rocheuses.

Au sortir de cette brèche, Jessica eut le souffle coupé par la beauté du paysage. Devant eux s'étendait une vaste prairie fleurie au pied de hautes parois réverbérant le soleil. Sur la ligne de crête de la neige scintillait contre le ciel limpide.

Jan revint au côté de Jessica et nomma pour elle les fleurs de la montagne. Il lui désigna la bruyère si différente de la bruyère d'Ecosse. Puis ils découvrirent un troupeau de caribous qui se désaltéraient dans l'eau d'un torrent. L'un d'eux releva la tête et le troupeau alerté partit à la débandade et trouva refuge derrière des blocs rocheux.

Pendant un moment ils purent chevaucher les uns à côté des autres, et savourèrent pleinement cette liberté de mouvements. Mais Joe ne tarda pas à leur demander de reprendre la file indienne. La piste redevenait étroite et escarpée sur un terrain apparemment aride. En fait, les pierres abritaient des touffes de campanules que Jessica découvrit sous les sabots de son cheval.

Ensuite, la piste descendait, abrupte, vers un lieu protégé par des parois presque aussi verticales que de vrais murs.

— Nous passerons la nuit ici, annonça Joe.

Il prit une hache et se mit aussitôt à couper du bois pour faire le feu.

En cet endroit se dressait une cabane faite de trois murs de pierre et d'un toit de tôle ondulée. Joe put y allumer un feu à l'abri du vent et préparer le repas du soir.

— Nous avons fait une vingtaine de kilomètres aujourd'hui, dit-il en servant les steaks aux oignons et la purée de pommes de terre.

— Pas plus ? marmonna Jan. J'ai l'impression d'en avoir fait le double !

— Qui d'autre a des courbatures ? demanda Joe. Et toi Danny ?

— J'ai un peu mal. Mais ça en vaut la peine.

— Le meilleur moyen d'éviter les courbatures est de faire une promenade pendant que je monte les tentes, suggéra Joe.

Jessica resta avec Danny. Il l'entraîna dans des glissades. Elle remarqua les multiples couleurs de la roche : jaune, rouge, brune et verte à cause des lichens. En contrebas de la pente où Danny s'amusait, elle vit les chevaux brouter ces fleurs de montagne que les hommes n'avaient pas le droit de cueillir.

Rejoignant le campement elle demanda à l'enfant s'il avait seulement demandé à son père l'autorisation de participer à la randonnée.

— Non, avoua-t-il. Il m'a dit que lui-même n'y allait pas. Et à son ton, j'ai tout de suite compris que cela signifiait un refus pour moi... Alors j'ai attendu son départ pour Clinton.

— Tu as pris un gros risque. Suppose que tu aies eu un accident.

— Vous voyez, ce n'est pas arrivé. Je suis heureux d'être ici ! Pour rien au monde je n'aurais voulu rater ça !

Les tentes étaient dressées. Jessica, Cindy et Rhoda partageraient la plus grande.

Lentement, la nuit tomba. Un vent froid se leva. Pelotonnés dans des couvertures, assis autour du feu, ils écoutèrent Jan jouer de la guitare.

Mais tout à coup, malgré la musique, Joe détecta l'approche d'un cheval. Il leva la main pour demander le silence. Dans la quiétude de la nuit ils entendirent des pierres rouler sous les sabots d'un cheval.

— Il vient très tranquillement, observa Joe avec un sourire. Je ne connais qu'un homme pour tenter de nous surprendre de cette façon, ajouta-t-il en se levant.

— Par ici, patron ! cria-t-il. Vous avez fait vite. Vous avez faim, je suppose.

— Je prendrais bien de la viande et des oignons, Joe.

Derrière la voix calme tremblait un rire retenu. Simon entra dans le cercle de lumière projeté par le feu. Il avait mis pied à terre et derrière lui se dressait l'ombre gigantesque de son cheval.

Danny fit le tour du feu et vint se jeter contre son père.

— Ne sois pas en colère papa ! Ne sois pas en colère contre moi !

— Je ne le suis pas, répondit Simon en ébouriffant les cheveux du petit garçon d'une main affectueuse. Pourquoi n'avoir pas dit que tu voulais venir ?

— Je... Je croyais que tu ne voudrais pas.

— Tu te trompais Danny.

— Vraiment ?

— Mais oui. J'avais toujours espéré que nous ferions un jour cette randonnée ensemble.

— Alors je vais pouvoir aller jusqu'au lac de l'Aigle ?

— Exactement et je viens avec toi. J'ai croisé Al sur la piste et je lui ai dit de me remplacer au ranch.

Pendant que Danny sautait de joie, Rhoda se tourna vers Jessica. Par-dessus les flammes ses yeux noirs lui adressèrent un message très clair qui disait : « Vous voyez. Je vous l'avais dit. »

4

Un torrent bondissait joyeusement sur les pierres lisses. Jessica assise sur un rocher, pêchait. Ou du moins tenait-elle une canne à pêche à la main.

Elle prenait plaisir à imaginer sa grand-mère assise à cette même place et savourant la beauté et le calme de la vallée du Bon Esprit. Ainsi Joe Trip avait-il traduit le nom indien de ce lieu entre les hautes montagnes, et cette traduction s'accordait parfaitement à l'impression de sérénité qui flottait dans l'air.

Le groupe avait atteint cette vallée la veille en fin d'après-midi. Ils avaient longuement chevauché sur une piste tout en zigzag à travers des éboulis rocheux. Puis, ils avaient emprunté une corniche battue par les vents au-dessus d'un gouffre vertigineux, pendant qu'au fond de la vallée, les lacs scintillaient comme des bijoux sur le velours vert des prairies.

Le chemin était périlleux, mais les risques valaient la peine d'être courus. Ils l'avaient compris en franchissant l'entrée étroite de la vallée, simple fente dans un mur rocheux. Le lac de l'Aigle leur était enfin apparu, tout argenté dans le crépuscule précoce de la haute montagne.

Fourbue, mais exaltée par la vue du lac dont sa grand-mère lui avait tant parlé, Jessica s'était endormie comme une enfant.

Ils avaient tous pris un petit déjeuner tardif. Puis ils s'étaient séparés, certains avaient décidé d'explorer le lac, d'autres de remonter le torrent.

Se tournant vers le lac, Jessica abrita son regard contre l'éclat argenté des eaux. Le canot rouge sur lequel Rhoda et Jan s'étaient embarqués avait disparu. Aucun signe non plus de Danny et de Cindy, partis remonter le cours d'eau dans l'espoir d'une pêche plus fructueuse.

Elle fronça les sourcils. Elle ne pouvait penser à Danny sans penser à son père. Pourtant, elle n'avait cessé de l'éviter depuis qu'il les avait rejoints. Sans beaucoup de mal, à vrai dire. Simon avait pris la place de Al au bout de la file. Il avait dessellé, nourrit les chevaux et aidé Joe à dresser les tentes. Taciturne, il n'avait pas engagé de conversation. Jessica l'avait trouvé aussi distant, aussi inaccessible que les plus hauts sommets de la montagne.

Brusquement, elle sentit une résistance au bout de la ligne. Elle la vit se tendre. Avait-elle réussi à prendre un poisson ? Elle se mit à rire, descendit de la roche et, au bord de l'eau, commença de rembobiner la ligne. Bientôt elle vit apparaître hors de l'eau bouillonnante un poisson argenté.

Que faire maintenant ? Elle regardait le poisson se débattre désespérément.

— Habituellement, on retire l'hameçon de la bouche.

Derrière elle, la voix de Simon était empreinte d'ironie, et elle se tourna avec vivacité.

— Depuis combien de temps m'observez-vous ? demanda-t-elle.

Elle le vit appuyé avec nonchalance contre un arbre.

— Je suis arrivé au moment où le poisson mordait, répondit-il en s'avançant vers elle. On dirait bien que vous en attrapez un pour la première fois.

— En effet. Et je le regrette. Il me fait de la peine.
Dans les yeux de Simon, clairs comme l'eau du torrent, elle vit danser une petite lueur ironique.

— Il est plutôt petit, murmura-t-il et il attrapa la ligne. Ses doigts habiles eurent vite fait de décrocher le poisson.

— Je le rejette à l'eau ? demanda-t-il.

— Vivra-t-il ?

— Oui. Il n'est pas blessé.

— Il est très joli.

— C'est une truite arc-en-ciel. Elles ont fait la renommée du lac.

— Alors rejetez-la... C'est la première et la dernière fois que j'essaie de pêcher, ajouta-t-elle en finissant de rembobiner la ligne.

— Vous baissez les bras bien facilement, remarqua-t-il, surpris.

— Je n'ai pas l'habitude de tuer, précisa-t-elle. Et c'est très curieux. Quand Cindy m'a montré comment me servir de la canne, je n'ai pas associé l'idée de la pêche à celle de la mort.

— Mais comment feriez-vous pour survivre loin d'une ville sans pêcher, ni chasser ? Les Indiens apprirent aux premiers trappeurs à conserver du gibier. Ce fut très utile pour les longues chevauchées à travers des régions désertiques. Mais avant de se nourrir de viande séchée, il fallait bien tuer le gibier. Quand votre survie est en jeu, vous ne pouvez pas vous offrir le luxe d'un cœur trop tendre !

— Mais ne peut-on pas se nourrir de lichens ? Ou de baies ?

— Mais on ne trouve de baies qu'au début de l'automne. Et que faire en hiver quand tout est gelé ? insista-t-il en gardant un regard ironique. Une jeune citadine romantique, comme vous, ne survivrait pas longtemps par ici.

— Comment le savez-vous ? Je suis bien plus résistante que je n'en ai l'air. Vous jugez selon les apparences. Vous êtes bourré de préjugés.

— Certainement, admit-il avec un sourire provocateur. Surtout à l'encontre des jeunes veuves aux cheveux auburn, au teint de pêche et qui savent plaire aux jeunes garçons... de dix ans.

Jessica le regarda avec insistance. Il était tout près d'elle et ces remarques sur son apparence lui donnèrent une conscience aiguë de la présence physique de Simon.

Il était nu-tête. Ses cheveux noirs avaient des reflets bleus sous le soleil. Il avait des pommettes saillantes et un nez droit. Ses yeux clairs la dévisageaient et sur ses lèvres charnues flottait une expression hautaine.

Elle jeta un regard circulaire sur son cou puissant, son corps musclé, ses hanches étroites, ses cuisses robustes de cavalier.

Puis elle s'empressa de détourner les yeux vers les reflets argentés du lac, consciente de l'impérieuse vague de désir qui l'avait envahie. Elle éprouvait pour la première fois de sa vie une impulsion aussi violente et elle devait se retenir pour ne pas avancer une main et caresser le torse bronzé de cet homme.

— Que voulez-vous dire ? demanda-t-elle sèchement.

— Danny est tout à fait séduit, expliqua-t-il avec calme. Il n'a parlé que de vous après la promenade de samedi. Et il a voulu à tout prix vous rejoindre.

— Me rendez-vous responsable de son escapade ? demanda-t-elle, contrariée.

— Oui, répondit-il sans hésitation. Danny est un enfant très sensible et très influençable.

— Il est surtout trop isolé. Il a besoin d'amis. Et peut-être d'un peu plus d'affection, lui lança-t-elle.

— Voulez-vous me suggérer qu'il a besoin d'une mère, grogna-t-il.

— Non ! Oh, vous ne pensez tout de même pas que...

Elle dut s'interrompre avant de pouvoir contrôler sa voix.

— Je n'oserais pas *vous* dire cela, ajouta-t-elle.

— Vous n'oseriez pas ? Vous me surprenez. Vous venez bien de me parler d'un manque d'affection. Pourquoi ne pas aller plus loin ?

— Vous avez tant de préjugés à l'égard des femmes, tant de méfiance, que vous êtes bien capable de croire à une proposition de ma part.

— Et ce n'est pas le cas ? demanda-t-il avec cet air insolent qui la rendit furieuse.

— Non. Le rôle de belle-mère est certainement l'un des plus délicats du monde.

— Seulement dans le cas où l'enfant se souvient de sa mère et Danny ne s'en souvient pas, répondit-il avec sérieux.

— Non, mais on lui a parlé d'elle.

— Je sais bien : les parents de Lou en font aux yeux de Danny une mère idéale. Et moi je suis le mari détestable et le père dénaturé.

L'amertume perçait dans la voix de Simon et Jessica eut mal. Elle se mettait à sa place.

— Ils voudraient qu'il vive à Edmonton, avec eux, précisa Simon. Et Danny est d'accord.

— Pourquoi ne pas le laisser partir ?

— Ce serait une véritable démission de ma part, répondit-il, le visage empreint tout à coup d'orgueil.

— Vous feriez mieux d'oublier votre orgueil et de vous séparer de lui avant que vos relations ne deviennent insupportables. Ou bien il finira par se sauver.

Il la dévisagea.

— Vous recommencez, dit-il doucement.

— Je recommence quoi ?

— A vous montrer concernée par le sort de Danny.

Dans une semaine vous serez loin. Alors pourquoi tant d'intérêt ?

Elle remarqua qu'il avait pris un ton particulièrement dur comme s'il lui reprochait d'être simplement de passage.

— Vous avez raison, soupira-t-elle.

Elle se détourna du regard trop intense qu'il avait posé sur elle. Les eaux bleu-vert du lac semblèrent étinceler. Jessica les voyait à travers les larmes inattendues qui lui montaient aux yeux. Tout était si beau ici ! Comment se faire à l'idée de quitter ces lieux dans deux jours ? Elle murmura :

— Oui, pourquoi me sentirais-je concernée...

Puis, incapable de surmonter une irrésistible impulsion, elle s'écria du fond du cœur :

— Oh, j'aimerais tant ne pas repartir ! J'aimerais tant vivre ici l'automne et l'hiver et voir le retour du printemps.

Simon se tut mais elle sentait sa présence, la force de son corps tout proche, son rayonnement sensuel malgré son calme. Il suffirait d'un léger mouvement pour que leurs corps se touchent, pour qu'elle appuie son épaule contre son torse...

Grands dieux ! Que lui arrivait-il ? Elle se reprit rapidement, se raidit afin de lutter contre l'abandon de ses sens. Elle laissa son regard errer sur le lac, les arbres, les sommets enneigés, le ciel limpide. Elle perçut à nouveau le bruit du torrent, le cri d'un oiseau solitaire.

Simon s'avança vers elle. Les bras croisés, bien planté sur ses jambes légèrement écartées, il la regarda avec un étonnement intense.

— Le pays vous plaît ? demanda-t-il. Vous aimez cette vallée ? Toutes ces forêts, toutes ces montagnes ? Vous vous sentez à l'aise loin de la ville ?

— Oh oui ! répondit-elle spontanément. Et je voudrais

avoir le temps de connaître d'autres pistes, d'autres vallées. Cela doit venir de ma famille paternelle. Je me sens chez moi ici. Me trouvez-vous bizarre ?

Simon secoua la tête.

— Ce sont les esprits qui vous parlent, affirma-t-il, avant de préciser devant l'étonnement de Jessica : mon grand-père Sam Benson disait toujours que chaque lieu a ses esprits. Et quand les esprits se font entendre, il faut s'arrêter et bâtir sa maison. C'est une croyance indienne. Avez-vous l'impression de pouvoir vivre ici ?

— Tout à fait.

— Alors pourquoi ne pas rester ?

La question la désarma. Elle n'avait pas envisagé cette éventualité, un tel changement dans sa vie. Pendant les deux dernières années elle avait consciencieusement respecté une routine bien établie afin de ne surtout pas penser et d'éviter toute émotion profonde. Elle avait voulu se faire une carapace. Et maintenant voilà qu'elle avait une folle envie de vivre ici et de rester auprès de cet homme.

— Mais comment faire ? demanda-t-elle avec fièvre. Je dois gagner ma vie. Trouver un travail ici n'a pas l'air facile. Je n'ai pas de visa d'immigrant. Je ne suis qu'une touriste.

— Je peux vous procurer un emploi, répondit-il visiblement agacé par ces considérations administratives.

— Vous ?

— Bien sûr. Moi aussi j'ai besoin d'une assistante. Et c'est bien la fonction que vous exercez, n'est-ce pas ?

— Vous vous moquez de moi, l'accusa-t-elle, furieuse.

Elle ramassa la canne à pêche et allait s'en aller quand il la retint par le bras et l'obligea à se tourner vers lui.

— Non. Je ne me moque pas de vous, dit-il en accentuant légèrement la pression de ses doigts sur la peau douce. Je me suis mal expliqué, bien que le terme d'assistante convienne très bien à la place que je vous propose.

— Et que m'offrez-vous exactement ? Pas un mariage, j'espère, précisa-t-elle sèchement.

Simon grimaça un sourire.

— Non. En ce moment, Mary Trip, la fille de Joe, tient ma maison. Mais elle se marie à la fin du mois et s'en va vivre dans une réserve avec d'autres Indiens. Je dois donc lui trouver une remplaçante... Si je ne la rencontre pas dans les plus brefs délais, il me faudra envoyer Danny chez ses grands-parents et je ne le souhaite pas. Je suis intimement persuadé que ce serait une erreur.

Il fit une pause, se caressa le menton, le visage contracté par l'effort qu'il faisait pour s'expliquer clairement.

— Si une personne comme vous était là pour accueillir Danny à la sortie de l'école, les choses seraient plus faciles. Mary est très bien mais elle est un peu brusque avec lui. Il lui faut de la fermeté mais aussi beaucoup de gentillesse. Quelqu'un comme vous.

Ebahie par la proposition de Simon, à peine consciente d'être maintenue par une poigne ferme, Jessica plongea son regard dans les yeux clairs et volontaires.

— Vous ne savez pas ce que vous demandez, dit-elle dans un souffle.

— Oh si ! Effectivement après m'être comporté avec vous comme je l'ai fait, cela doit vous paraître déplacé. J'ai eu des pensées bien mesquines à votre égard, Jessica Howard.

Elle eut le souffle coupé. Elle avait l'impression de voir s'effondrer tout à coup la barrière qui les empêchait de se comprendre. Un moment elle imagina qu'elle acceptait et elle se vit l'accueillant à la fin de sa journée de travail. Elle se souvint d'une de leur conversation : « La présence d'une femme, avait-il affirmé, est tolérable si elle n'abuse pas de sa séduction pour dominer. » Elle essaierait de ne jamais l'oublier, car à voir la lueur qui brillait dans ses yeux, il ne devait pas être insensible à sa féminité.

— Me pardonnez-vous d'avoir eu tant de préjugés à votre égard ? demanda-t-il.

Ils étaient toujours très près l'un de l'autre. Simon gardait ses mains posées sur les bras de Jessica et elle ressentit la pression de ses doigts comme s'il cherchait à l'attirer contre lui. Il penchait la tête et semblait bien sur le point de l'embrasser. Elle eut la tentation de passer ses bras autour de son cou et de déposer un baiser sur sa joue en signe de pardon.

Elle se réfréna si fort qu'une douleur lui traversa la poitrine. Le désir refoulé accompagnait comme un martèlement chaque pulsation de son sang. Devant tant de passion violente, elle prit peur.

— Je vous pardonne évidemment, répondit-elle sèchement. On a le droit de se méfier d'une étrangère.

— Alors acceptez-vous mon offre ? Elle vous permettra de voir l'automne et l'hiver et d'attendre le retour du printemps.

Allait-elle rejeter toute prudence et dire oui ? Ce serait peut-être la meilleure façon de se libérer de souvenirs étouffants. Ici, tout était nouveau pour elle et elle pourrait peut-être aimer une seconde fois ?

Mais elle associa encore une fois l'idée de l'amour à celle de la souffrance. Elle hésita, fronça les sourcils, se détourna de Simon. Aussitôt, il lâcha Jessica.

— Vous n'êtes pas intéressée, constata-t-il.

— Si, dit-elle avant de se retourner vers lui. J'apprécie votre proposition. Mais... Je ne peux pas laisser tomber James Marshall. Nous avons encore beaucoup de travail à faire ensemble.

Le regard de Simon se glaça sous les sourcils noirs.

— Vous aurais-je fait au moins hésiter un instant ? demanda-t-il en retrouvant un ton ironique. Oubliez mon offre. C'était l'idée de Danny. Je ne pensais pas avoir la plus petite chance et je le lui avais dit. Mais comme vous aviez l'air de vouloir rester...

Une barrière se dressait à nouveau entre eux, et Simon se retranchait derrière elle. Elle fut déçue que cette atmosphère amicale se soit envolée aussi vite.

— Danny ? s'étonna-t-elle. L'idée venait vraiment de lui ?

— Oui. Vous ne pensiez tout de même pas que c'était la mienne ? ironisa-t-il.

Les pouces passés dans sa ceinture, il se détourna à demi et observa la pente boisée que dégringolait le torrent. Il donnait à Jessica l'impression de regretter sa demande et de vouloir lui retirer toute espèce d'importance.

— Voici l'aigle, murmura-t-il en désignant du doigt un grand oiseau tournoyant au-dessus des arbres. Il doit y avoir quelqu'un près de son nid.

— Oui. Danny et Cindy. Ils cherchaient la source du torrent.

— Il est grand temps qu'ils redescendent. Le soleil ne va pas tarder à se coucher. A cette altitude, la nuit tombe vite.

Il regarda Jessica très attentivement.

— Danny va être très déçu, ajouta-t-il.

Etait-ce un dernier appel ? Voulait-il lui donner l'occasion de changer d'avis ?

— Allez-vous le lui dire maintenant ? demanda-t-elle.

— Non. Plus tard. Autrement il risque d'essayer de vous influencer pendant tout le retour.

— Je connais quelqu'un à qui vous pourriez le demander sans hésiter.

— Je ne vois pas, dit-il d'un ton sec.

— Et Rhoda ?

L'étonnement le fit sourciller.

— Vous ne parlez pas sérieusement.

— Si. Elle cherche un moyen de rester en Alberta et elle a l'expérience des enfants. Danny l'aime bien et elle a connu sa mère, et...

— D'accord. D'accord, vous en avez dit assez, l'interrompit-il, un rictus désapprobateur au coin des lèvres. Je connais les qualifications de Rhoda, mais elle demanderait trop en retour.

— Vous ne pourriez pas la payer ?

— D'une certaine façon, non, répondit-il avec froideur.

— Mais je suis sûre qu'elle serait... raisonnable, commença-t-elle à expliquer.

— Et moi je suis certain du contraire. Elle imposerait ses conditions. Maintenant, parlons donc d'autre chose. J'entends la voix de Danny, il me semble. Je peux vous faire confiance, vous ne lui direz rien ?

— Et s'il me pose la question ?

Simon sembla désarçonné. C'était la première fois. Il mordilla ses lèvres.

— Dites-lui que vous réfléchissez encore, voulez-vous ? suggéra-t-il mal à l'aise.

— Ça n'arrangera rien.

— Laissez-moi le temps de trouver une autre solution. Vous savez, entre Danny, mes beaux-parents et ma propre mère... il m'arrive d'en avoir assez de leurs critiques. Quelquefois, je regrette de...

Il tourna son regard vers le bas de la colline. Danny et Cindy sortaient de la forêt. Danny se mit à courir à travers l'herbe haute. Simon termina sa phrase sur un ton très amer :

— Quelquefois je regrette d'avoir rencontré Lou.

A nouveau, par cette brève remarque, Simon montrait à quel point il avait raté son mariage. Jessica pensa à sa propre expérience : quelle différence ! Les quatre mois passés auprès de Stève avaient été merveilleux.

Le mariage n'était pas uniquement une lutte incessante entre deux êtres trop différents, mais aussi la mise en commun de leurs rêves et de leurs espoirs. Comment le prouver à Simon ? Il manifestait une véritable aversion pour le mariage. Peut-être fallait accepter de vivre sous son toit avant d'être sa femme...

L'offre de Simon était l'occasion rêvée. Elle y repensa mais ne tarda pas à s'inquiéter. Que se passait-il en elle ? Cette vallée du Bon Esprit avait décidément une influence étrange.

Sa canne à pêche à la main, elle rejoignit le petit groupe en marche vers le campement. Aux côtés de son père, Danny sautait de joie. Non seulement il avait pris du poisson, mais il avait aussi vu le nid de l'aigle.

— Je suis vraiment heureux de vous avoir rejointe, dit-il à Jessica. Et vous, vous êtes contente d'être ici ? Combien de poissons avez-vous attrapé ?

Il fit une moue de dégoût à l'énoncé d'un si pauvre résultat et annonça fièrement qu'il avait trois poissons pour son dîner et celui de son père.

Quand ils atteignirent le campement, Joe faisait déjà la cuisine et une odeur appétissante flottait dans l'air. Rhoda et Jan n'étaient pas revenus bredouilles de leur promenade sur le lac. Et tout le monde pourrait avoir du poisson en hors-d'œuvre.

Au crépuscule, le lac perdit son éclat mauve et prit des reflets gris argent qui restèrent visibles une fois la nuit tombée. Dans l'impressionnant silence de cette haute vallée, la lumière et les pétillements du feu rassuraient. Après le dîner, le groupe fit un cercle autour du foyer et écouta Jan chanter.

Joe suggéra de se coucher tôt. Le lendemain, une longue chevauchée les attendait. Mais Rhoda s'attarda.

Avant de se mettre au lit, Jessica l'aperçut assise près de Simon.

La nuit était froide et Jessica apprécia le confort de son duvet. Elle bavarda un moment avec Cindy. Puis Cindy s'endormit brusquement. Jessica écouta alors l'appel des oiseaux de nuit dans les grands arbres et ne put s'empêcher de penser à Simon. Elle se demanda si au lieu de refuser, elle n'aurait pas mieux fait d'écouter les esprits de la vallée... Quant à l'attirance physique qu'elle ressentait pour Simon, ce sujet aussi la laissait perplexe.

Elle n'avait jamais éprouvé un désir aussi brutal pour un homme. Son union physique avec Steve avait été l'aboutissement d'une longue camaraderie. Que se passait-il avec Simon ? Elle le connaissait à peine. Rhoda avait mis l'accent sur le long sommeil de son corps depuis la mort de son mari. Elle lui avait rappelé qu'elle en sortirait un jour ou l'autre et que peut-être le moment était venu. Etait-elle vraiment prête ?

Troublée par ces incertitudes, elle poussa un gémissement et changea de côté. Elle fut surprise par la voix de Rhoda.

— Vous ne dormez pas ? demanda Rhoda.

— Je n'ai pas sommeil.

— Moi non plus.

— Votre promenade sur le lac vous a plu ?

— C'était bien, oui. Jan connaît parfaitement les poissons, les fleurs et les oiseaux. Mais j'aurais volontiers échangé ma place contre la vôtre.

— Je n'ai pourtant rien fait de bien excitant. A part prendre le soleil, attraper un malheureux petit poisson et rêvasser.

— Vous avez joui de la compagnie de Simon. Nous vous avons appelés, Jan et moi, mais vous étiez si attentifs l'un à l'autre que vous n'avez rien entendu. Qu'aviez-vous de si intéressant à vous dire ?

— Rien de particulier. Nous avons parlé de Danny. Simon est ennuyé. Il a peur d'être obligé de le laisser partir à Edmonton.

— Nous venons d'avoir une conversation et il ne m'en a pas parlé, répondit Rhoda, visiblement choquée. Pourquoi se confie-t-il à une étrangère alors que je le connais depuis si longtemps ? Je pourrais le conseiller, ajouta-t-elle en élevant la voix.

— Doucement ! Vous allez réveiller tout le monde... Simon n'attend pas de conseil, vous savez. On lui en donne déjà tellement. Il sait ce qu'il veut pour son fils. Il a juste besoin d'un peu d'aide.

— Les parents de Lou ne l'ont jamais aimé, murmura Rhoda. Il leur a pris leur unique enfant. Et Lou dépendait beaucoup de ses parents sur le plan affectif.

— C'est pour cette raison qu'elle a eu tant de mal à se séparer d'eux, je suppose. Et la mère de Simon, comment est-elle ?

— Ha ! Rhoda eut un rire sec. Grace MacLeod est une femme très dominatrice. Elle a divorcé à cause de la façon dont son mari élevait ses fils. Après le divorce, elle a obtenu la garde de Simon et de son frère, et aussitôt les a mis en pension. Simon s'est sauvé pour rejoindre son père. Ce dernier a pu le garder, mais après une sérieuse bataille juridique. Ensuite, elle a encore exigé que Simon aille à l'université. Jamais elle n'a pu admettre son goût pour la campagne. Et maintenant, elle continue avec Danny.

— Elle veut faire avec Danny ce qu'elle n'a pu faire avec Simon, soupira Jessica. Je crois que l'on ferait mieux de dormir un peu.

— Oui, répondit Rhoda en bâillant. Mais vous ne m'enlèverez pas de l'idée qu'il y a quelque chose entre Simon et vous.

— Ne soyez pas stupide, Rhoda, répondit Jessica avec fermeté avant de se retourner.

L'aube avait une teinte orangée à travers la toile de la tente, quand Joe annonça le petit déjeuner. Cindy était déjà sortie de son duvet et seule une touffe de cheveux noirs dépassait de celui de Rhoda.

— Réveillez-vous Rhoda ! Le petit déjeuner est prêt, insista Jessica en s'habillant, et elle frissonna sous la fraîche caresse de l'air.

Encore tout endormie, elle se joignit aux autres, mangea avec grand appétit l'excellent bacon aux œufs préparé par Joe et observa les changements de couleur du lac. Il passait de l'argent au mauve, et devint gris comme l'étain quand un nuage masqua le soleil.

— Habillez-vous chaudement, lui conseilla Simon. A en juger par ces nuages, il doit y avoir un sacré vent sur la piste.

Une demi-heure plus tard, les tentes étaient pliées. On sella les chevaux, on chargea les bêtes de somme. Joe Trip retira son tablier de cuisinier. Avec son chapeau comme en portait autrefois la police montée, plat et à larges bords, son foulard noué sur la nuque de manière à pouvoir le remonter sur son visage en cas de bourrasque de poussière, ses mocassins cousus à la main, Joe avait une allure un peu démodée, mais bien à lui. Il regarda Simon.

— Vous voulez aller en tête, patron ? demanda-t-il.

— Non. C'est ta randonnée. Tu montres le chemin, *neistow*, répondit Simon.

— *Neistow ?* murmura Jessica à l'adresse de Cindy.

— C'est un mot indien qui signifie : beau-frère. C'est un très joli mot, on l'utilise pour s'adresser aux amis très proches, expliqua Cindy avec son calme habituel.

Joe rangea sa hache dans un fourreau suspendu à la selle de son cheval et se mit en route. Cindy suivit derrière puis Danny et ensuite Jan.

— Allez-y Jessica, murmura Rhoda, doucereuse.

Portant une veste de nylon bleu matelassée, les joues rosies par l'air vif du matin, elle était radieuse et sûre d'elle-même.

— Attendez un instant, Jessica, ordonna Simon, les sangles de votre selle ne sont pas assez serrées.

Déjà en selle, Jessica se pencha pour essayer de voir sous le ventre du cheval. Simon s'était approché. Il se baissa et Jessica eut sous les yeux la courbe de ses solides épaules emmitouflées dans une veste en velours côtelé avec un col en peau de mouton.

Il se redressa et son regard clair et brillant se fixa sur le visage de Jessica.

— C'est mieux, dit-il d'une voix douce, ses lèvres remuant à peine afin que Rhoda ne puisse pas l'entendre. J'ai rêvé de vous la nuit dernière, ajouta-t-il.

Jessica frissonna, comme s'il l'avait caressée.

— Le rêve était agréable, j'espère, répondit-elle avec désinvolture, le regard fixé sur une ligne d'horizon qu'elle ne voyait pas tant elle était troublée.

— Très agréable, fit-il provocant, avant de sauter sur son cheval. Allons-y, ordonna-t-il. Je vous suis toutes les deux.

Simon l'avait bien dit, le vent était glacial. Jessica chevauchait, tête baissée, afin de se protéger du mieux possible et elle ne pouvait admirer la beauté du paysage. La piste était trop étroite pour que deux personnes puissent cheminer de front en bavardant et la piste en pente requerait toute l'attention des cavaliers.

Quand la piste s'élargit Jessica eut pour compagnon soit Jan soit Danny, mais jamais Rhoda. Elle prenait soin de rester non loin de Simon.

Après toute une journée de repos, les muscles de Jessica réagissaient plus lentement. Quand le groupe se retrouva à l'abri de l'amphithéâtre rocheux pour y passer la nuit, elle était percluse de courbatures.

Arrivé bien avant les autres, Joe avait allumé un feu et fait chauffer de l'eau. Le vent hurlait à travers les fissures des parois rocheuses. Il faisait froid et le feu leur procura un véritable réconfort.

Mais pour leur dernière nuit sur la piste et malgré le vent et le froid, ils chantèrent longtemps avec Jan. Puis Joe raconta des anecdotes à propos d'autres randonnées. Et il parla de son enfance, du temps où il venait ici avec sa mère et les membres de sa tribu, quand les Indiens pouvaient encore chasser le caribou.

Au moment de se coucher, Jessica apprécia les deux couvertures supplémentaires et la chaleur du feu de bois émanant d'un petit poêle en fonte que Simon avait judicieusement installé dans un coin de la tente.

Le lendemain matin, le vent était tombé et le ciel bleu portait la promesse d'une belle journée. Ils tardèrent cependant à se mettre en route, comme s'ils n'étaient nullement pressés de retrouver le monde des plaines.

Joe Trip prit de l'avance. Sortant à peine de l'amphithéâtre rocheux, Jessica l'aperçut, beaucoup plus bas, parmi la bruyère. Cindy se rapprochait de lui. Danny semblait avoir quelques ennuis avec son cheval et Jan le guidait. Jessica jeta un dernier coup d'œil autour d'elle. La neige brillait dans les crevasses d'une haute montagne tout en étages et en cheminées dont elle eut envie de connaître le nom. Elle le demanderait à Cindy dès qu'elle pourrait la rejoindre.

Au moment où elle entamait la descente, elle entendit un bruit étrange. Inquiète, elle tira involontairement sur les rênes et irrita le cheval qui fit un écart et glissa hors de la piste.

Tremblante, elle essaya de lui parler doucement afin de le calmer. Au même moment, un petit animal mi-rat, milapin, surgit et disparut tout aussitôt en émettant de petits cris aigus. Elle dirigea Snap vers la piste et s'aperçut qu'il boitait. Elle mit alors pied à terre et examina les sabots du cheval.

Rhoda la rejoignit et lui décocha un regard fort soupçonneux.

— Que manigancez-vous donc ? demanda-t-elle.

— Je ne manigance rien, répliqua Jessica, furieuse de cette nouvelle insinuation. J'ai sursauté en entendant un bruit et j'ai trop tiré sur les rênes. Snap est sorti de la piste et maintenant il boite.

— Simon ne va pas être heureux. Un des chevaux de somme a perdu un fer et il est déjà d'une humeur massacrante, expliqua-t-elle d'un ton acerbe.

— Eh bien ! soupira Jessica. Et vous n'êtes pas restée avec lui pour l'aider ?

— Je le lui ai proposé. Il m'a envoyée promener. Je commence à comprendre pourquoi Lou l'a quitté. C'est le mâle, dans toute sa splendeur !

— Mais Rhoda ! s'exclama Jessica, surprise. Vous n'êtes donc plus amoureuse de lui ?

— Je... Je... Dieu, je ne sais plus ! Quand je pense à toutes ces années passées à regretter son absence alors qu'il n'a pas dû m'accorder une seule pensée...

— Ce ne sont pas des années perdues. Pensez à vos voyages, à tout ce que vous avez vu, aux enfants qui ont bénéficié de votre enseignement. Vous n'auriez jamais eu autant de satisfactions en restant ici. Honnêtement, vous vous voyez pendant tout ce temps à faire la cuisine, le ménage, vous occuper de Danny et sans doute d'un autre enfant ?

Rhoda réfléchissait.

— Quand je vous entends parler ainsi, je crois que vous avez raison. J'aime mon métier et même mariée, j'aurais tenu à l'exercer.

Elle se tut un instant, un regard attentif fixé sur Jessica, et un sourire triste se dessina sur ses lèvres.

— Vous me faites réfléchir. C'est vrai : je ne suis pas une femme d'intérieur. Donc, pas une femme pour Simon.

— Sans doute, murmura Jessica avant d'examiner de nouveau son cheval qui s'agitait, mal à l'aise. J'espère que Simon ne va pas être furieux.

— Vous n'allez pas tarder à le savoir. Je l'entends arriver. Je vous laisse. Après les mots aimables de tout à l'heure, je ne tiens pas à me retrouver face à face avec lui.

Etonnée par la fuite de Rhoda devant Simon, Jessica la suivit du regard. La queue de son cheval brillait comme des fils de soie rousse dans le soleil. Puis elle disparut derrière un monticule rocheux. Alors Jessica prit le temps de se réjouir de la température clémente et du ciel sans nuages. En contre-bas, très loin encore, elle pouvait voir une ville, avec ses maisons comme des points de couleurs entre les lignes longues et droites que dessinaient les routes.

Un cavalier, coiffé d'un chapeau blanc apparut au détour du chemin.

Le cheval fit halte. Simon tira sur la longe et, se tournant vers le cheval de somme qui finissait de gravir la pente, il l'encouragea d'une voix câline.

Snap se mit à hennir faiblement. Simon repoussa son chapeau sur la nuque.

— Alors, que se passe-t-il ? demanda-t-il sur un ton exaspéré.

— Snap boite, avoua Jessica d'une petite voix désolée et elle raconta l'incident.

Simon se tut. Il s'agenouilla auprès de Snap et tâta les pieds de l'animal de ses doigts experts, avec des gestes lents. Le cheval gémit et eut un soubresaut quand Simon toucha son pied postérieur gauche.

— Le fanon le fait souffrir, constata-t-il en se redressant.

Il enleva sa veste et la jeta sur le dos de son cheval. Il observa le ciel puis Jessica.

— Il fait beau et ça devrait durer, annonça-t-il. Heureusement. A pied, il y a un bout de chemin jusqu'au ranch...

— Effectivement, répondit-elle d'une voix éteinte. Elle regarda ses bottes. Elles étaient robustes mais un peu trop grandes pour être vraiment confortables.

— J'en aurai pour combien de temps à votre avis ? demanda-t-elle.

Il la dévisagea un instant avant de jeter une nouvelle fois un coup d'œil vers le ciel, puis d'abaisser son regard vers la vallée. Il avait à nouveau enfoncé son chapeau sur ses yeux. Elle ne vit pas leur expression mais elle crut déceler un sourire ironique sur ses lèvres.

— Cela dépend de vous, de la vitesse à laquelle vous marchez, du nombre d'arrêts que vous ferez. Il fera sûrement nuit quand vous arriverez. Et il faudra guider Snap avec beaucoup de précautions.

— Je vois. J'ai intérêt à me mettre en route sans tarder, non ? dit-elle en reprenant les rênes de Snap.

— Où est Rhoda ?

— Elle est allée en avant. Elle va prévenir Joe, je pense et il m'attendra avec le cheval supplémentaire.

— Il ne faut pas y compter. Je suis avec vous, nous avons du matériel de camping et il le sait. D'autre part, il doit être au ranch aujourd'hui, au plus tard. Il a une autre randonnée vers la vallée Tonquin à préparer.

Simon allait donc rester avec elle. Elle en fut soulagée. Mais n'avait-il pas laissé entendre qu'ils risquaient de passer la nuit en montagne ?

— Nous n'allons pas passer la nuit dehors, j'espère ! s'exclama-t-elle en dissimulant mal son anxiété.

— Vous ne me faites pas confiance ?

— Oh si ! Ce n'est pas ça. Mais James arrive ce soir et il va s'inquiéter.

— Ah, oui, James, remarqua Simon avec une nonchalance ironique. Je l'avais oublié. S'il s'inquiète trop, tout le monde va croire qu'il est beaucoup plus que votre patron. Serait-ce vrai ?

Il accompagna sa question d'un regard insistant. Jessica ne sourcilla pas. Elle se demanda comment il pouvait perdre du temps en considérations de ce genre, ici, sur cette piste de montagne inondée de soleil, avec trois chevaux qui piaffaient, alors qu'ils avaient tout intérêt à redescendre au plus vite.

— James est un ami autant qu'un patron, répondit-elle calmement.

Elle serrait dans sa main les rênes de Snap, impatiente de se remettre en marche. Mais Simon ne bougeait pas.

— C'est un ami. Vous êtes son assistante personnelle. On peut tout imaginer avec des phrases comme ça.

— En tout cas pas ce que vous avez en tête.

— Et vous savez à quoi je pense ?

— Vous l'avez vu m'embrasser dans le couloir de l'hôtel à Edmonton. A partir de ce moment-là, vous vous êtes fait des idées. Eh bien, elles sont fausses ! James n'est pas mon amant, affirma-t-elle sur un ton glacial.

— Mais il aimerait l'être, suggéra-t-il avec un air hautain.

— C'est faux. Elle lui lança un regard furieux. Il n'est pas comme ça.

— Pas comment ?

— Il… Il est très respectueux des conventions, répondit-elle, sans regarder Simon.

— Le mariage d'abord, c'est ce que vous voulez dire ? demanda-t-il sèchement. Va-t-il vous épouser ?

— Je… Cela ne vous concerne pas, dit-elle d'une voix

faible. Ne ferions-nous pas mieux de nous mettre en route au lieu de parler de James ?

Les pouces dans sa ceinture, très détendu, Simon n'avait manifestement pas du tout l'intention de repartir.

— Qui a parlé de James en premier ? Ce n'est pas moi précisa-t-il avec un sourire mauvais.

— Vous faites en sorte de nous mettre en retard, j'en suis certaine.

— Pourquoi ? demanda-t-il sans agressivité, secouant la tête lentement comme sous l'effet de la surprise. Si vous voulez vous mettre en marche, allez-y. Rien ne vous retient. Je serai juste derrière vous mais à une allure moins rapide parce que je me soucie des chevaux. La descente va être difficile pour le cheval de somme qui n'a plus que deux fers maintenant. Et aussi pour Snap avec son fanon abîmé. Alors je vous serais reconnaissant de faire attention, Madame Howard.

Son expression s'était durcie et sa voix avait pris une froide sévérité. Jessica eut honte de s'entendre rappeler l'accident de Snap sur un tel ton. Elle regarda le flanc abrupt de la montagne. Maintenant qu'elle devait guider le cheval au lieu de le suivre, la situation était totalement différente.

Elle se retourna vers Simon. Il n'avait pas bougé et l'observait, le regard à demi dissimulé par son chapeau.

— Eh bien ! Pourquoi vous arrêtez maintenant ?

Il prenait un certain plaisir sadique à la tourmenter parce qu'elle était une femme, elle en était persuadée. Elle éprouva un soudain dégoût pour deux personnes qu'elle n'avait jamais rencontrées mais qui avaient de toute évidence dénaturé les rapports de Simon avec les femmes. Elle pensait à sa mère et à sa femme morte.

— Je m'arrête sans raison, dit-elle doucement. A plus tard.

Snap était réticent, Jessica dut lui parler gentiment et lui caresser l'échine avant qu'il ne se décide à avancer.

Le soleil brillait dans un ciel d'un bleu métallique et frappait dur sur les rochers gris et bruns d'un paysage taillé à la dynamite. Jessica, habituée à admirer le panorama du haut de sa monture, regrettait amèrement de devoir surveiller chacun de ses pas. Elle ne voyait plus qu'un monde de rocailles et de poussière.

Elle se trouva soudain face au soleil. Il l'aveuglait et brûlait son visage. Elle choisit un endroit bien plat où Snap puisse être à l'aise et elle chercha dans une sacoche une lotion hydratante pour protéger sa peau. Puis elle enleva son pull-over, ne gardant que son tee-shirt. Simon apparut derrière elle, toujours aussi superbement décontracté sur son grand cheval noir. Il semblait ne pas la voir.

Elle reprit les rênes de Snap et le câlina pour l'inciter à continuer, tout en songeant qu'elle avait un jour parlé de courtoisie à propos de Simon Benson. Quelle erreur ! Il ne lui avait nullement proposé son cheval. Elle se raisonna. Elle était la seule responsable de la blessure de Snap. Simon la traitait en égale, en personne capable de se débrouiller dans des circonstances difficiles. Au moins, elle ne lui était pas indifférente et elle pouvait s'en flatter.

Mais pourquoi accorder tant d'importance à l'attitude de Simon ? Dès demain elle ne le verrait plus. Avançant avec précaution, Jessica songea à leur première rencontre à Edmonton et au regret qu'elle avait éprouvé à la pensée de ne jamais apprendre pourquoi Danny n'avait pas de mère, pourquoi l'homme au chapeau avait des mains couvertes de cicatrices blanches. Aujourd'hui, elle connaissait bien plus que les réponses à ces deux questions... Et vraiment, elle n'aurait plus rien à regretter en prenant congé de Simon Benson, dès ce soir. Ce soir, ou demain, s'ils devaient passer la nuit dans la forêt.

Jessica jeta un coup d'œil à sa montre. Il était presque

deux heures et demie. Pas étonnant qu'elle ait si faim ! Elle s'arrêta et regarda autour d'elle. Un petit torrent coulait avec un bruit cristallin. Deux petites bêtes jouaient au bord de l'eau, roulant l'une sur l'autre en poussant des cris aigus.

Snap s'approcha du torrent et se désaltéra. Alors Jessica se rendit compte à quel point sa gorge était sèche. Elle s'agenouilla et prit de l'eau dans ses mains.

Un bruit de sabots annonça l'arrivée de Simon. Il apparut, s'arrêta et imita Jessica. Quand il se releva, il repoussa son chapeau sur sa nuque et, mains sur les hanches la regarda, toujours agenouillée. Il avait défait les premiers boutons de sa chemise et l'eau qui avait coulé entre ses doigts brillait sur la peau de son torse.

— Vous vous débrouillez ? demanda-t-il.

— Pas trop mal, mais j'ai faim. Sommes-nous loin de l'endroit où nous nous sommes arrêtés pour déjeuner l'autre jour ?

— Ce n'est pas du tout par ici, répondit-il, le regard fixé sur les deux petits animaux jouant au soleil. Avez-vous vu les deux marmottes ?

— Je me demandais ce que c'était. Elles sont très bruyantes.

— Elles sifflent. Et leurs sifflements a donné son nom à l'une des montagnes environnantes. La montagne des Siffleurs.

A nouveau elle le trouva détendu et peu pressé de retrouver le ranch. On avait l'impression qu'il aurait aimé rester ainsi tout l'après-midi à parler de la montagne.

— Si vous avez faim, pourquoi ne pas manger vos sandwiches ici ? L'endroit est parfait pour les chevaux. Ils auront de quoi brouter.

L'eau du torrent avait creusé un bassin dans la roche et quelques pins, trouvant chaleur et humidité, formaient un bosquet. Simon alluma un feu et fit bouillir de l'eau pour le café que Jessica but à petites gorgées, assise sur un tronc.

Dès qu'elle eut fini, elle lava dans le torrent les cuillères et les tasses.

— Vous êtes bien impatiente, remarqua Simon.

Il était assis par terre, les jambes croisées, le dos appuyé contre un arbre : l'image même de l'indolence.

— Vous avez une idée de l'heure ? demanda-t-elle, contrariée.

— Bien sûr. Il me suffit de regarder le soleil. Il doit être environ quatre heures moins vingt, peut-être même quatre heures moins le quart.

Jessica regarda sa montre. Il était exactement quatre heures moins le quart. Ils avaient pris plus d'une heure pour déjeuner et boire leur café. Pendant tout ce temps ils s'étaient à peine parlé.

— Vous avez raison, dit-elle d'un ton neutre. Et nous devrions être en route. Nous n'arriverons jamais avant la tombée de la nuit.

— Ecoutez : nous n'arriverons pas avant la nuit, c'est évident. Il faut vous faire à cette idée. Même si Joe vous attendait avec le cheval supplémentaire, nous ne pourrions pas traverser la forêt avant la fin du jour. Et je ne ferai courir aucun risque à ces chevaux handicapés sur une piste sans visibilité.

— Alors, j'irai seule.

Elle s'avança vers Snap. Malheureusement, dès les premiers pas, elle ressentit une brûlure à son talon droit. L'ampoule qu'elle avait remarquée le matin avait dû s'aggraver pendant la marche forcée. Elle ne put s'empêcher de boiter.

Simon s'approcha d'elle.

— Qu'avez-vous au pied droit ? Une ampoule ?

Elle hocha la tête.

— Pourquoi n'avez-vous rien dit ? insista-t-il.

— Jusqu'à présent, elle ne m'a pas gênée, dit-elle sèchement.

— Elle risque de vous gêner. Prenez ma place. Je ferai le reste du chemin à pied.

Elle se retourna vers lui. Il était tout près d'elle, avec son torse bronzé découvert par la chemise à demi-boutonnée, son cou large et puissant, le rictus arrogant de sa lèvre inférieure, l'éclat de son regard malgré l'ombre du chapeau. Elle se recula, comme pour se mettre à l'abri du danger. Son sang battait trop fort.

— Merci pour cette offre, mais je me débrouillerai seule.

— Ne soyez pas stupide, grommela-t-il. Vous n'irez pas loin comme ça. Et dites-vous bien une chose : en vous prêtant mon cheval je ne cherche qu'à me protéger.

— Contre quoi ? s'exclama-t-elle, éberluée.

— Contre votre patron, avoua-t-il en grimaçant un sourire. Il m'en voudrait certainement de ne pas vous ramener en parfait état. Je mets votre selle sur Blackie.

Elle s'installa sur le cheval noir et baissa les yeux vers Simon qui ajustait les étriers.

— Supposez que j'aille de l'avant sans vous attendre ? ne put-elle s'empêcher de dire.

— Ce ne serait pas la première fois que je me retrouverais seul avec un cheval blessé et que je serais obligé de camper en montagne sans garde du corps, ironisa-t-il.

Les épaules de Jessica s'affaissèrent. Elle se mordit la lèvre. Elle imaginait les sous-bois à la tombée de la nuit.

— Blackie connaît bien le chemin ? s'inquiéta-t-elle.

— Parfaitement. Mais ne forcez pas l'allure. Je ne voudrais pas terminer cette randonnée avec trois chevaux boiteux et une femme en piteux état. Ce serait mauvais pour la réputation du ranch.

Le soleil avait déjà disparu derrière les montagnes

quand Jessica atteignit enfin la prairie alpine qu'il fallait traverser avant d'emprunter la piste forestière.

Elle s'arrêta un instant pour remettre son chandail. Elle regarda vers la longue pente qu'elle avait descendue toute l'après-midi. Elle aperçut, au loin, la silhouette des chevaux. Simon devait marcher à leur côté.

Elle chercha à éviter les roches qui affleuraient à la surface du terrain tout en faisant confiance à Blackie quant à la direction à prendre. Sur cette étendue pleine de bosses et de trous, la piste n'était pas tracée.

De légers nuages roses flottaient dans le ciel clément et Jessica s'inquiétait de ne pas voir l'entrée du col. Quand elle entendit le bruit d'un cours d'eau, elle se souvint d'avoir traversé un torrent à l'aller. Mais n'était-il pas plus près du col ?

Au bord de l'eau, elle fit une pause. Décidément le col n'était pas en vue. Jusqu'aux brumes de l'horizon elle voyait le terrain rocailleux et rien d'autre. Blackie s'était-il trompé de direction ?

L'angoisse la fit frissonner. Elle ne savait que faire. Attendre ici en espérant que Simon l'avait aperçue au moment où Blackie se trompait ? Ou remonter le torrent afin de retrouver l'endroit où ils avaient traversé le dimanche matin ?

5

Le vent glacial gémissait à travers l'espace désertique. Les rochers projetaient des ombres inquiétantes. Des bruits plutôt sinistres se faisaient entendre, sans doute des cris d'animaux invisibles. Toute la nature semblait hostile et Jessica prit une décision. Elle allait remonter le cours du torrent.

Elle laissa le cheval se désaltérer avant de se remettre en selle. A ses encouragements murmurés, Blackie répondit par un pas lourd et récalcitrant. Il faillit glisser sur une pierre. Jessica se tenait raide, tendue, espérant plus que jamais voir apparaître deux chevaux et un homme à pied.

Des lambeaux de nuages sombres dérivaient dans le ciel. Certains s'accrochèrent à des pics, d'autres tournoyèrent entre des éperons rocheux. La solitude devenait pesante, Jessica se rendait compte qu'elle avait perdu son chemin et le cheval semblait totalement désorienté.

Elle regarda sa montre. Dans une heure et demie, il ferait complètement noir. Avant que le relief ne soit estompé par la nuit, elle devait trouver l'entrée du col. Ou alors elle serait obligée de passer la nuit dans la montagne.

— Tu es supposé connaître le chemin, Blackie, murmura-t-elle à l'adresse du cheval.

Elle lâcha la bride pour voir comment il se comportait lorsqu'il était libre.

Il n'eut qu'une réaction : s'arrêter au bord de l'eau et boire à nouveau !

Le ciel rosissait à droite derrière la montagne massive. Jessica pensa alors qu'en traversant le torrent, elle ne pourrait se tromper. Elle irait obligatoirement en direction du sud. Elle encouragea le cheval à travers le cours d'eau, en priant le ciel pour qu'il ne glisse pas sur une pierre. Blackie se laissa faire. Sur l'autre rive ils retrouvèrent le sol spongieux de la prairie sans fin.

— Et maintenant, Blackie ? demanda-t-elle.

Comme s'il avait compris le sens exact des mots, il se mit à avancer, mais avec prudence, gêné sans doute par les buissons de bruyère. A un moment donné, un oiseau effrayé virevolta devant les sabots de l'animal, avant de replonger, plus loin, dans un autre bouquet de bruyère sauvage.

La lumière du couchant disparut tout à coup. Toutes les couleurs du ciel s'estompèrent. Les montagnes s'obscurcirent et ne tardèrent pas à se fondre dans la nuit. Blackie trébucha plus d'une fois et Jessica retenait son souffle, terrorisée à l'idée qu'il pourrait perdre un fer ou se blesser.

Soudain, il s'arrêta, s'ébroua et fit entendre un hennissement sonore. Un autre cheval lui répondit. Puis un deuxième. Blackie se remit en marche, infléchissant légèrement sa direction. Une odeur de feu de bois emplit la nuit, et Jessica sentit un poids tomber de sa poitrine. Devant elle, elle voyait maintenant l'éclat orangé d'un feu de camp d'où montaient des volutes de fumée claire. La silhouette de Simon se dessinait en noir contre la lumière des flammes tandis qu'il s'avançait vers elle.

— Vous en avez mis du temps, se moqua-t-il, en

flattant le museau de Blackie. Je vous croyais bien au-delà du col.

Jessica exultait. Jamais une voix humaine ne lui avait procuré une telle joie. Elle aurait bien aimé se conduire comme le cheval, frotter son visage contre la haute stature de Simon et recevoir la caresse de sa main.

— Je... Je... me suis perdue. J'ai suivi un cours d'eau en pensant que c'était le bon. Je ne me souvenais pas avoir traversé deux torrents.

— Votre attention était sans doute retenue par le paysage, ironisa-t-il. Bon, descendez. Le dîner est bientôt prêt.

Mais Jessica ne put bouger. Elle frissonnait de la tête aux pieds. Son cardigan avait laissé passer le vent.

— Je... Je... Ne... Je ne peux pas bouger.

Elle claquait des dents.

— Vous auriez dû mettre votre anorak, lui fit-il remarquer d'un air sombre. Nous sommes encore à une altitude élevée et la température change fréquemment.

— Je... Je ne l'avais pas remarqué. J'étais trop préoccupée. Oh, Simon, s'écria-t-elle, si vous saviez comme je suis heureuse de vous voir.

— Je le sais. Moi aussi je me suis déjà perdu par ici. Allez, maintenant il faut descendre. Je vais vous aider.

Il la prit par la taille. Ses mains étaient chaudes et robustes. Son corps demeura un instant collé contre celui de Jessica. Mais elle continuait à trembler.

— C'est le contrecoup de la peur qui vous fait trembler, autant que le froid, murmura-t-il. Venez près du feu, le café est prêt. Une boisson chaude et une couverture vont vous remettre d'aplomb.

Des courbatures la faisaient souffrir et elle s'appuya lourdement sur le bras de Simon et se laissa tomber sur un billot placé près du feu. Simon enroula une couverture autour de ses épaules et lui tendit une tasse de café fumant.

— Attendez un instant, lui ordonna-t-il au moment où elle portait la tasse à ses lèvres.

Il sortit une flasque de la poche fourre-tout de sa veste, la déboucha et versa quelques gouttes de son contenu dans la tasse de Jessica.

— Qu'est-ce que c'est ?

— De l'antipoison, répondit-il.

— Comment ?

— Du whisky, si vous préférez. Je crois aussi y avoir droit, après une telle randonnée.

Il but directement au goulot. Puis il remit la flasque dans sa poche.

— Allez-y. Buvez. Avez-vous envie de ragoût ?

— Je pourrais manger n'importe quoi, dit-elle, rêveuse.

Elle but son café lentement. Il avait une saveur à la fois forte et corsée et elle pouvait suivre en elle le cheminement brûlant du liquide.

Ils dînèrent de ragoût dans des assiettes en aluminium. Ils étaient assis côte à côte et Jessica, décontractée par la chaleur du feu, du repas et de l'alcool, se serait volontiers laissé aller au désir de poser sa tête sur l'épaule de Simon.

— La viande est bonne, soupira-t-elle.

— Du ragoût en boîte, précisa-t-il.

— Tiens ! Et la viande séchée des trappeurs ? plaisanta-t-elle.

— Pas cette fois-ci.

Ils terminèrent le repas en ouvrant une boîte de pêches au sirop et... prirent un dernier café puis Simon s'en alla faire la vaisselle au bord du torrent. Revenu près du feu, il y ajouta du bois et s'assit à nouveau auprès de Jessica.

— Joe a laissé le cheval supplémentaire ici. C'est pourquoi je me suis arrêté. Ne trouvant aucune trace de votre passage, je me suis inquiété. J'avais espéré que vous auriez eu l'idée de laisser Blackie se débrouiller et trouver seul le chemin.

— J'aurais dû le laisser faire plus tôt. Vous savez, avec le crépuscule tout est devenu étrange, dit-elle en frissonnant. J'ai entendu des bruits bizarres et j'étais sûre que de nombreuses paires d'yeux me guettaient dans la nuit.

— Sans aucun doute. Un élan vous observait du haut d'un rocher. Vous avez croisé un ou deux lapins en balade, une perdrix qui se frayait un chemin dans la bruyère. Il se mit à rire tout à coup. Vous êtes incroyable, ajouta-t-il.

— Pourquoi ?

— J'ai de la peine à croire que vous êtes une femme.

— Vraiment ! Je n'en ai pas l'air ?

— Ha ! Je m'exprime mal, précisa-t-il avec regret. Non, seulement vous êtes différente des autres femmes.

— Vous en connaissez beaucoup ? plaisanta-t-elle.

— Pas mal, oui.

— Et où est la différence ? Je ne me suis jamais rien trouvé d'extraordinaire, dit-elle sur un ton léger.

— Et pourtant, quand je vous ai annoncé qu'il vous faudrait marcher jusqu'au ranch, vous n'avez ni pleuré, ni gémi. Vous n'avez pas essayé non plus de me faire du charme pour obtenir Blackie. Ce n'est pas une attitude habituelle chez les femmes, voyez-vous.

— Et si j'avais agi ainsi, vous vous seriez laissé attendrir ? demanda-t-elle.

Elle vit Simon sourire.

— Je ne crois pas. J'aurais été exaspéré. Mais vous, vous ne vous êtes pas rebiffée comme certaines personnes que je connais. Vous ne m'avez pas reproché de conserver mon cheval. Vous avez accepté les conséquences de vos actes et vous avez essayé de vous en sortir seule, conclut-il avec gravité.

— Oui. A ce moment-là, vous m'avez traitée d'égale à égal et j'ai cru en avoir la force. Mais quand je me suis retrouvée seule égarée dans la nuit, j'ai... j'ai eu très peur.

Sa voix trembla. Simon mit son bras autour de ses épaules et l'attira contre lui. Enfin elle put poser sa tête au creux de son épaule.

— Vous n'avez aucune raison d'avoir honte, murmura-t-il sur un ton paternel. Cela arrive à tout le monde, un jour ou l'autre.

— Même à vous ? Je peux difficilement le croire.

— Vraiment ? Vous cherchez à me flatter ? s'exclama-t-il en riant. Eh bien ! j'ai eu peur plus d'une fois. Je ne me souviens que trop de la première fois où mon père m'a mis sur le dos d'un cheval. J'étais terrorisé.

— Mais la peur ne vous a pas paralysé ?

— Non. Je craignais trop de déplaire à mon père !

— Je comprends. J'ai éprouvé les mêmes sentiments. Vous ne vouliez pas le décevoir parce que vous l'aimiez beaucoup.

— C'est vrai. C'était un grand bonhomme. Il m'a appris à connaître les animaux et la terre. Il me transmettait l'enseignement de ses parents.

— Un héritage que vous vous voudriez transmettre à Danny, n'est-ce pas ?

— Oui. Je ne sais pas si j'y parviendrai, remarqua-t-il, amer. Vous avez parlé de lui à Rhoda, je crois.

— Oui. Comment le savez-vous ? Vous n'êtes pas fâché j'espère.

— Elle m'a offert ses services ce matin. Il eut un rire méprisant. Et comme je l'avais deviné, ses exigences étaient trop grandes.

— Pourquoi donc ?

— Elle m'a parlé de mariage. Et contrairement à vous, le rôle de belle-mère l'intéresse.

— Et vous avez refusé ?

Jessica revoyait le visage crispé de Rhoda lorsqu'elle l'avait rejointe près du cheval blessé.

— Oui. Je ne veux pas repartir en guerre.

— Le mariage peut être une tout autre expérience.

— Pour moi ce fut la guerre. Pour mon père aussi.

— Et pour vos grands-parents ?

Elle insistait. Dans sa famille, il devait bien exister un exemple d'union heureuse.

— C'est autre chose. Ma grand-mère était exceptionnelle. Tout le monde l'aimait.

Simon s'entêtait mais il semblait moins sûr de ses arguments.

— Dans un mariage réussi, l'amour est partagé. Votre grand-mère aimait tout simplement votre grand-père.

— Si vous continuez, je vais croire que vous voulez me convertir au mariage, se moqua-t-il, avec bonne humeur.

Il prit la main gauche de Jessica dans la sienne et passa son pouce sur l'alliance qu'elle portait encore.

— Qu'est-il arrivé à M. Howard ? demanda-t-il doucement. Vous est-il possible d'en parler maintenant ?

Elle fut touchée par sa façon si gentille d'évoquer Steve. Elle eut l'impression que Simon venait d'entrouvir la porte derrière laquelle elle avait enfoui ses sentiments depuis son deuil. Elle parla longuement de son mariage tandis que le bras de Simon lui entourait les épaules. Elle lui raconta comment elle avait appris la mort de son mari. Stève, ingénieur, avait été tué dans un accident sur un chantier.

— Ce devait être un type bien, commenta Simon.

— Je le crois, en effet.

Elle n'en revenait pas d'avoir pu parler aussi simplement de Stève. Elle n'avait plus mal. Elle pouvait évoquer son souvenir sans souffrir. Elle l'avait aimé un certain temps, voilà tout. La semaine prochaine, elle pourrait penser à Simon Benson de la même façon. Ils seraient séparés par des kilomètres et des kilomètres de terre et d'océan.

Mais enfin elle n'aimait pas Simon Benson ! Comment le mettre sur un pied d'égalité avec Stève, elle le connaissait à peine. Pourtant, elle était là, assise avec lui devant le feu, la tête sur son épaule, comme si c'était la chose la plus naturelle au monde.

— Et il avait de la chance, ajouta Simon d'un air songeur.

— Pourquoi ? demanda-t-elle surprise, en pensant que Stève n'était plus, tandis que Simon éclatait de vie et de santé.

Elle tourna la tête pour l'observer. Il avait enlevé son chapeau et elle pouvait voir l'éclat de son regard. Il leva la main vers sa joue et du bout des doigts la caressa doucement.

— Il vous avait pour femme, dit-il.

Elle fut fascinée par ses lèvres qui s'approchaient irrésistiblement de sa bouche. Elle les trouva fraîches et dures contre les siennes. Elle eut l'impression que Simon hésitait comme s'il craignait d'être repoussé. Sa peau sentait légèrement la fumée du feu de bois.

Elle restait sans réaction. Elle avait tant attendu ce moment qu'il lui semblait irréel. Elle l'avait voulu, à l'instant où elle avait posé les yeux sur Simon, dans cet hôtel d'Edmonton.

Simon ressentit son immobilité comme une provocation. Sa bouche se fit plus insistante, plus possessive, et les lèvres de Jessica s'entrouvrirent.

Il glissa sa main sous la couverture puis sous son tee-shirt et elle sentit sa progression fraîche sur sa peau.

L'élan passionné qu'elle avait tenté de réfréner la submergea brusquement. Elle jeta ses bras autour de son cou et serra Simon contre elle. Glissant ses doigts sous le col de sa veste, elle se mit à caresser sa nuque. Leurs corps étaient étroitement enlacés.

Le désir longtemps contenu éclata dans un feu d'artifice de baisers et de caresses d'une folle intensité. Soudain Simon s'écarta violemment de Jessica. Il essuya sa bouche d'un revers de main comme s'il voulait effacer, renier leur étreinte. Il se pencha en avant, posa ses coudes sur ses genoux et prit sa tête entre ses mains.

— Cela n'aurait pas dû arriver, murmura-t-il d'une voix lourde de désapprobation.

Devant le silence de Jessica, il continua, tendu :

— Dieu sait si j'ai essayé de ne pas vous embrasser, de ne pas vous désirer. Me croyez-vous ?

— Oui, répondit-elle. J'ai éprouvé les mêmes sentiments.

Elle avait une curieuse voix éraillée.

— Je... Je vous ai choqué ? demanda-t-elle en remontant la couverture, pour se protéger du vent glacial de la nuit.

— En un sens oui, admit-il. Vous avouez franchement votre désir. D'habitude les femmes préfèrent mentir et parler d'amour.

Jessica remarqua son amertume. Il devait se souvenir de Lou à cet instant précis.

— Si je vous parlais d'amour, je sais très bien que vous ne me croiriez pas une seconde, dit-elle d'un ton léger, alors qu'elle se sentait triste et abandonnée depuis que Simon ne la tenait plus dans ses bras. Après tout, ajouta-t-elle, nous sommes deux étrangers dans la nuit, rien de plus.

— Rien ne serait arrivé si vous ne vous étiez pas égarée, si nous ne nous étions pas retrouvés bloqués par l'obscurité avec des chevaux boiteux.

Il parlait avec âpreté, toujours déterminé à renier ce qui

s'était passé. Il secoua la tête, se moqua de lui-même avec un rire triste :

— Dire que j'ai plus ou moins souhaité cette situation. Ça, c'est drôle. Je l'ai même provoquée en quelque sorte.

— Vraiment ? s'enquit-elle, plutôt contrariée à l'idée d'être tombée dans un piège.

— Je savais bien qu'en vous faisant rentrer à pied, nous perdrions beaucoup de temps. Ensuite, j'ai prolongé inutilement le déjeuner. Puis comprenant que je risquais de mettre le feu aux poudres je vous ai laissé Blackie.

Il fit une pause et émit un petit rire cynique.

— Et nous voilà maintenant avec une seule tente et un unique sac de couchage par une nuit bigrement froide, et avec en nous un désir inassouvi.

Elle n'apprécia pas le cynisme de Simon.

— Et à qui est le sac de couchage ? demanda-t-elle froidement.

— A moi.

— Où est le mien ?

— Vous ne le savez pas ? répondit-il sur le même ton.

— Non, protesta-t-elle. Oh, je vois : j'ai fait en sorte que Snap se blesse et j'ai fait mine de m'égarer pour pouvoir passer la nuit avec vous ! Vous allez bientôt le prétendre, n'est-ce pas ?

— Et ce n'est pas exact ? lui lança-t-il.

— Non. Ce n'est qu'un accident, une pure coïncidence, comme tout ce qui arrive depuis que je suis en Alberta.

— La fatalité, hein ? se moqua-t-il. D'accord. J'attends une preuve.

— Je vais dormir dans la couverture.

— Vous aurez froid même sous la tente, répliqua-t-il d'un ton bourru.

— Je vais mettre tous les vêtements que j'ai apportés et je resterai près du feu.

L'émoi douloureux qu'elle ressentait avec une violence incroyable aiguisa par contrecoup son esprit.

— Vous avez votre sac de couchage et votre tente tout à vous, ajouta-t-elle avec une fausse douceur. Je ne voudrais surtout pas que vous vous sentiez pris au piège en aucune manière.

Simon se retourna vers elle, avec brusquerie.

— Je vous trouve bien susceptible, tout d'un coup.

— J'ai toutes les raisons de l'être, il me semble. Vous avez gâché une très belle expérience.

— Vous ne parlez pas de nos ébats amoureux, j'espère ! s'exclama-t-il.

— Oh non ! Je pensais à la randonnée. A la journée au bord du lac de l'Aigle, aux feux de camp, aux chansons, aux fleurs, aux animaux. A la surprise de vous retrouver ici après m'être crue perdue. Jamais je n'avais connu d'heures aussi belles. Et j'aurais pu en garder le meilleur souvenir si vous ne m'aviez pas blessée. Vous avez tout abîmé : pas par vos baisers, mais par vos paroles.

Simon s'était à nouveau penché en avant, la tête entre les mains. Il demeurait immobile et silencieux. Le feu projeta soudain une gerbe d'étincelles dans la nuit. Mais une seconde plus tard le feu d'artifice était balayé par un tourbillon de fumée grise, au passage d'une rafale de vent. Jessica frissonna, ramena une nouvelle fois la couverture sur ses épaules. Ce n'était pas la nuit rêvée pour coucher à la belle étoile. Simon sortit enfin de son mutisme.

— J'ai tenu à désamorcer une situation explosive, dit-il.

— Vous avez réussi, répondit-elle avec un sanglot étouffé. Je ne dormirais pas sous cette tente même si vous me suppliiez de le faire.

Simon se leva tout à coup, enfonça son chapeau sur ses yeux d'un geste irrité.

— Très bien. Vous bénéficierez seule de la tente et de ce fichu sac de couchage. Je reste dehors.

— Non, répliqua-t-elle avec fermeté. Je me suis bêtement égarée. Je suis ici par ma faute. J'en accepte les conséquences. Ce n'est pas à vous de vous sacrifier à cause de moi.

— Me sacrifier ? explosa-t-il. Vous voyez les choses comme ça ?

Il tourna les talons et avança dans la nuit.

— Où allez-vous ? demanda-t-elle, anxieuse.

— Je vais chercher votre selle, dit-il d'une voix emplie d'orgueil blessé. Puisque vous voulez dormir dehors, vous verrez, ça vous fera un bon oreiller.

6

Une heure et demie plus tard, elle dut admettre qu'elle avait fait un bien mauvais choix. Elle pouvait appuyer sa tête contre la selle, mais tout son corps était endolori. En plus, la crainte de voir le feu s'éteindre l'empêchait de s'endormir. Sans feu, son corps deviendrait un bloc de glace.

Elle avait beau se tourner dans tous les sens, aucune position ne lui convenait. Le vent gémissait entre les rochers et elle ne parvenait pas à oublier l'immense étendue sauvage qui l'entourait. Et puis, la querelle avec Simon la tourmentait encore. Ils avaient été si proches l'un de l'autre, si bien ensemble. Elle doutait fort de pouvoir trouver la paix cette nuit-là.

Avec un gémissement, elle se leva et avança en trébuchant jusqu'à la pile de bois préparée par Simon. Elle prit quelques bûches qu'elle jeta dans le feu. C'est alors qu'un coin de la couverture, posée sur ses épaules, traîna dans les flammes sans qu'elle s'en rendit compte.

Elle s'allongea de nouveau, se tournant et se retournant sur le sol trop dur. Soudain, une odeur de laine brûlée envahit l'air, mais c'est seulement lorsqu'elle ressentit une brûlure à la jambe gauche qu'elle réagit.

Elle cria et se dressa sur ses pieds en rejetant brutalement la couverture. Elle vit alors avec horreur des petites flammes lécher le bas de son jean. Elle eut le réflexe de défaire sa ceinture, mais Simon était déjà là, agenouillé étouffant les flammes à mains nues.

— Non, non, ne faites pas ça, Simon, vous allez vous blesser encore une fois, je ne le supporterai pas ! Aidez-moi seulement à enlever mon pantalon.

Il l'aida à baisser son jean mais elle ne put l'enlever à cause de ses bottes. Vite, il défit les lacets. Les jambes et les pieds nus, elle frissonna tandis qu'il portait son jean et la couverture vers le torrent.

Quand il réapparut, il traînait derrière lui la couverture imbibée d'eau. Il la souleva et la laissa tomber sur les flammes maintenant trop hautes. Il y eut un grésillement et un nuage de fumée s'éleva qui piqua leurs yeux.

— Comme ça, nous n'avons plus rien à craindre. Avez-vous un autre pantalon ?

— Oui... oui... Dans une sacoche.

— Elle doit être sous la tente. Allez-y. Et restez-y.

C'était un ordre, mais elle ne discuta pas. Elle se dirigea vers la tente avec une démarche incertaine tant elle tremblait de froid. Elle dut s'accroupir pour entrer. La tente était petite. C'était celle que Simon avait partagée avec son fils et l'on ne pouvait y dormir que côte à côte. La lampe-tempête était allumée. Jessica trouva la sacoche et un autre pantalon. Quand elle l'enfila, le tissu frotta douloureusement sur la brûlure de sa jambe.

Le sac de couchage était resté fermé. Elle se laissa tomber sur la chaleur du duvet sans pouvoir maîtriser les longs frissons qui secouaient son corps. Elle pleurait d'énervement et de fatigue et elle ne fut consciente de la présence de Simon que lorsqu'il la prit dans ses bras. Mais le visage enfoui au creux de son épaule, elle continua à sangloter.

Peu à peu elle se calma et cessa de trembler. De temps

en temps, un sanglot la secouait encore. Puis, son corps se réchauffant, une douce léthargie s'empara d'elle. Dans les bras de Simon elle pouvait s'endormir, mais avant, elle avait quelque chose à dire.

— Je regrette de vous avoir réveillé. Et je vous remercie d'être venu si vite m'aider, murmura-t-elle.

Elle se recula un peu, de façon à voir le visage de Simon dans la lumière sourde de la lampe-tempête. Elle ne put discerner que l'éclat de ses yeux clairs.

— J'aimerais savoir comment c'est arrivé, interrogea-t-il.

— J'avais froid et je me suis levée pour aller chercher du bois. La couverture a dû traîner dans le feu. Vous me trouvez sûrement bien imprudente, n'est-ce pas ?

— Vous l'avez été, sans doute, mais d'un autre côté je n'aurais jamais dû vous laisser dehors. J'étais furieux et j'ai voulu vous donner une leçon. Je savais que vous seriez mal à l'aise avec ce vent qui ne cesse pas de gémir. Et un grizzli à l'affût... Jamais je n'aurais pensé que vous tiendriez aussi longtemps. Je vous donnais un quart d'heure, pas plus.

— Un grizzli ! s'exclama-t-elle. Vous voulez dire qu'un ours rôde dans les parages et que vous ne m'aviez pas prévenue ?

— J'ai repéré des traces en arrivant. Mais finalement, vous avez dû faire face à un assaut d'une autre nature, mais aussi dangereux, sinon plus. Et je ne vous avais pas mise en garde, dit-il avec rudesse. Quand j'ai vu la couverture brûler, j'ai été terrorisé. Vous comprenez...

La voix lui manqua, il avala sa salive.

— Je... Je sais comment le feu peut mutiler un corps humain. Je l'ai vu avec Lou.

Jessica voulut réconforter Simon et du bout des doigts elle caressa timidement sa joue.

— Vous l'aimiez beaucoup, n'est-ce pas ? dit-elle d'une voix tendre.

— Pourquoi dites-vous cela ? demanda-t-il, prenant sa main dans la sienne d'une poigne solide et chaude et il la garda contre son cœur.

— Vous m'avez peu parlé d'elle, mais chaque fois, avec beaucoup d'amertume. Comme si elle vous avait fait beaucoup de mal. Vous étiez donc amoureux d'elle, sinon vous n'auriez pas souffert.

— Je l'ai aimée, c'est vrai. Mais pas suffisamment. Sinon je ne l'aurais jamais laissée s'installer dans cet appartement à Edmonton. Et aujourd'hui, elle serait encore en vie.

— Vous ne vous en voulez pas, j'espère. Vous n'êtes pas responsable de l'incendie qui l'a tuée.

Simon haussa les épaules.

— Non. Mais je suis responsable des malentendus qui ont provoqué son départ. Je n'aurais jamais dû l'épouser.

— Pourquoi l'avez-vous fait ?

— Je ne me suis pas posé de question. J'en avais envie tout simplement, précisa-t-il sèchement.

Il lâcha la main de Jessica et se mit sur le dos.

— Vous vous sentez mieux maintenant ? demanda-t-il. Vous pensez pouvoir dormir ? Ce serait la meilleure solution après une telle émotion.

Il avait changé de sujet, avec calme et fermeté.

— Oui. Je vais dormir. Si... si... Elle hésita. Si vous restez avec moi.

— Ne craignez rien. Sans feu et sans couverture, je n'irai pas loin. Je vais mettre nos anoraks sur nous et en restant l'un contre l'autre sur le sac de couchage, nous nous tiendrons chaud.

Il disposa un anorak sur leurs jambes, l'autre sur leurs bustes et il s'allongea à nouveau, tourné vers Jessica mais sans esquisser le moindre geste.

— Si vous me tournez le dos, la tentation sera moins forte, plaisanta-t-il d'une voix calme.

Il souhaitait sans doute, encore une fois, désamorcer la situation. Mais sa remarque eut l'effet contraire. Jessica redevint consciente de sa présence physique, de l'odeur de sa peau, de sa force et de sa chaleur. Elle désira retrouver ses bras, le contact de sa bouche sur la sienne, la caresse de sa main sur sa poitrine.

— Nous sommes trop près l'un de l'autre pour nous ignorer, murmura-t-elle.

— Mais ne me dites pas que c'est à cause de votre grand-mère, ironisa-t-il. Ou à cause de la fatalité. Allez Jessica, retournez-vous et essayez de dormir.

— Si je ne le désirais pas ?

Elle se pencha suffisamment vers le visage de Simon pour qu'il puisse sentir son souffle sur ses lèvres et elle crut triompher quand elle entendit sa respiration s'accélérer.

— Savez-vous ce que vous faites ? demanda-t-il avec mépris, entre ses dents.

Elle souhaitait simplement retrouver sa chaleur et l'impression de sécurité qu'il savait si bien donner. Mais elle lui répondit avec cette légèreté dont elle se servait souvent pour dissimuler ses véritables sentiments.

— Je le sais parfaitement. Mais je ne vous croyais pas si peureux.

Il retint son souffle avant de pousser un long soupir qui fit frémir son corps. Quand il parla, sa voix fut glaciale et chargée de mépris :

— On dirait que ma première impression sur vous était exacte.

— Que voulez-vous dire ?

Elle s'écarta de lui. Elle le sentait hostile.

— Vous êtes l'une de ces citadines à la recherche d'émotions fortes entre les bras d'un fermier, et si possible dans une meule de foin. Vous n'avez que ça en tête depuis notre rencontre. Eh bien vous allez être satisfaite !

Elle voulut se débattre, mais elle n'en eut pas le temps. Il la cloua de tout son poids sur le sac de couchage, pesant sur elle jusqu'à lui faire sentir la dureté du sol à travers le duvet. Elle vit briller dans ses yeux pâles une lueur féroce avant qu'il n'allonge le bras pour éteindre la lampe.

— Non, Simon, non, parvint-elle à crier.

Mais son cri fut étouffé brutalement par la bouche de Simon. Son corps pesait lourdement sur le sien et le sol devenait de plus en plus dur sous son dos. Elle eut l'impression d'être prise entre deux rochers qui risquaient de la broyer.

Elle continuait à lutter contre la domination implacable de Simon. Elle n'avait jamais souhaité ce genre de rapport, ni avec lui, ni avec personne. Elle put finalement dégager une main tandis qu'il commençait à la déshabiller et, affolée, elle le griffa au visage.

Soudain Simon la libéra et s'écarta dans un mouvement de dégoût violent.

— Alors, lequel des deux a peur ? fit-il sur un ton railleur.

Elle se retourna, fuyant son regard, à bout de nerfs, mordant la manche de son pull-over pour s'empêcher de pleurer.

Derrière elle, Simon s'allongeait à nouveau. Il remonta l'anorak sur les épaules de Jessica en évitant de la toucher. Mais elle sentit sa chaleur.

— J'espère vous avoir fait changer d'avis, dit-il, ironique. Maintenant, nous allons peut-être pouvoir dormir, l'un et l'autre.

Elle craignait d'avoir, à jamais, perdu le sommeil. Mais à sa grande surprise, elle sombra très vite dans le puits profond de l'oubli où corps et cœurs meurtris trouvent un peu de repos.

Quand elle s'éveilla la lumière du matin filtrait à travers la tente. Elle était seule. Somnolente, elle se demanda où Simon était passé. Elle s'étira, allongea ses jambes et la brûlure sur la jambe gauche lui fit mal.

Tous les souvenirs de la veille lui revinrent en mémoire. Elle en éprouva une telle honte qu'elle ferma les yeux et enfouit son visage dans le duvet moelleux du sac de couchage.

Ses lèvres étaient encore meurtries par les baisers fougueux de Simon. Elle s'était offerte à lui sans vergogne et il l'avait punie d'une façon dont elle se souviendrait longtemps. Il l'avait bien dit : elle n'avait eu ce qu'elle méritait !

Dehors, les chevaux piaffaient sans cesse. Il était temps de redescendre, d'abandonner les lignes de crêtes pour la forêt, le ranch et le bon sens... A cette heure-ci, James devait aller et venir au chalet des Crawley en s'inquiétant de son sort.

Elle fouilla dans une sacoche à la recherche de sa trousse de maquillage et se regarda sans complaisance dans son petit poudrier. Elle fut surprise. Ses cheveux avaient de beaux reflets d'or, ses joues étaient toutes roses, sa bouche plus pulpeuse, et ses yeux avaient pris un bleu profond. L'assistante de James Marshall, bon chic, bon genre, s'était transformée en une beauté sensuelle, un rien sauvage.

Elle essayait de se coiffer de son mieux quand elle entendit la voix de Simon.

— J'aimerais pouvoir plier la tente et ranger les affaires, dit-il sur un ton glacial. J'ai préparé du café et des pêches en boîte pour le petit déjeuner.

— Merci. J'arrive.

Lorsqu'elle sortit de la tente, Simon n'était pas près du feu. Elle le chercha du regard, mais en vain. Elle fut décoiffée par le vent qui chassait des nuages roses et blancs dans le ciel encore gris.

Elle repoussa les mèches de cheveux sur son visage, se servit de café et mangea les pêches que Simon lui avait laissées. Quand elle eut fini, elle enfila ses bottes restées près du feu et grimaça au moment où le cuir entra en contact avec l'ampoule sur son talon droit.

— J'aimerais voir où en est votre brûlure.

Simon était arrivé près d'elle, sans bruit.

— Ça ira, murmura-t-elle. J'arrangerai ça chez Molly.

— N'exagérez pas, c'est idiot, dit-il fermement. Vous allez me montrer cette brûlure dès que j'aurai fini de ranger la tente.

Il lui avait laissé sa sacoche à portée de la main. Elle en sortit une pommade antiseptique qu'elle avait pris soin d'apporter.

Simon revint très vite. Il s'appuya sur un genou et examina soigneusement la brûlure.

— La peau est boursouflée mais il faut éviter qu'elle éclate sinon vous aurez une cicatrice. Je vais mettre une crème calmante et un bandage, mais vous devez me promettre de voir un docteur dès que possible.

— Promis, dit-elle d'une voix faible.

Elle l'observa pendant qu'il soignait sa blessure. Mise à part la barbe de trois jours qui bleuissait ses joues, c'était bien l'homme qu'elle avait rencontré à Edmonton. Exactement le même, avec son regard froid, son air distant, inaccessible, toujours prêt à refuser un geste ou un mot amical. Et elle savait depuis la nuit dernière qu'il pouvait avoir non seulement des regards glacés, des répliques ironiques, mais aussi des mouvements de violente répulsion.

Maintenant elle connaissait la raison de ses réticences, en particulier avec les femmes. L'une d'entre elles l'avait fait terriblement souffrir et il craignait de s'exposer à de nouvelles souffrances. Il avait tort, la victime désormais ne pourrait être que la femme amoureuse de lui.

Jessica retint sa respiration. Elle revivait l'instant où il l'avait si violemment repoussée la nuit dernière et elle se sentait blessée jusqu'au plus profond d'elle-même. Simon l'interrogea du regard. L'éclat de ses yeux illuminait son visage bronzé.

— Je vous ai fait mal ? demanda-t-il gentiment.

L'ironie de la situation lui donna une folle envie d'éclater de rire et de lui crier : oh oui, vous m'avez fait du mal et plus jamais je ne serai la même ! Mais au lieu de cela elle lui répondit, aimable et pleine d'entrain :

— Non. Pas du tout. Vous vous faites du souci pour moi. C'est très gentil et je vous en remercie.

Il la dévisagea, sceptique.

— J'ai l'impression que vous diriez la même chose si vous étiez à l'agonie. Alors, cette brûlure, elle vous fait mal ?

— Un... un peu, admit-elle. Mais la pommade soulage déjà. Vraiment.

Il lui lança un nouveau regard sceptique avant d'achever le bandage. Elle observa ses mains aux cicatrices indélébiles. Comme ses gestes étaient tendres ! Décidément, Jessica avait bien du mal à s'expliquer la brutale réaction de la nuit dernière chez un homme aussi attentionné.

Il lui recommanda de rester assise tant que les chevaux ne seraient pas tout à fait prêts. Elle suivit chacun de ses mouvements rapides et efficaces et peu à peu elle eut la certitude qu'elle l'aimait et qu'elle ne supporterait pas de le quitter.

Elle chevaucha en tête sur le cheval supplémentaire. Snap suivait, puis Simon sur Blackie, accompagné du cheval de bât qui boitait de plus en plus.

Quand ils avaient traversé la forêt dimanche matin, les

sous-bois étincelaient de lumière. Cette fois-ci, ils étaient sombres. Il n'y flottait plus la bonne odeur des aiguilles de pins écrasées par les sabots des chevaux. Le vent gémissait dans les arbres et les basses branches menaçaient les cavaliers et leurs montures telles des lances, des piques et des flèches.

D'abord progressive, la descente devint tout à coup très abrupte, et Jessica ne tarda pas à ressentir dans ses jambes la fatigue de l'effort qu'elle faisait pour se maintenir en selle.

Ils s'arrêtèrent dans un vallon où coulait un torrent tumultueux. Ils s'y désaltérèrent avant d'ouvrir une boîte de fruits. Simon s'enquit uniquement auprès de Jessica de l'état de sa brûlure. Elle qui mourait d'envie d'aborder un autre sujet ; de lui avouer son regret et sa honte avant qu'il ne soit trop tard. Elle chercha désespérément ses mots et le calme froid de Simon acheva de la rendre muette.

Ils progressèrent à travers la forêt sombre. Tout à coup elle s'aperçut qu'elle fixait les oreilles de son cheval depuis des heures. Il faisait plus chaud maintenant mais elle n'eut pas le courage d'enlever son anorak. Fatiguée, déprimée, elle se sentait sur le point de perdre l'équilibre.

Enfin, la piste déboucha sur un vaste pâturage où paissait du bétail au pelage brun et blanc. Le ranch se rapprochait, ses toits rouges réverbéraient les rayons du soleil qui venait de sortir des nuages.

Al Curtis et un autre homme les attendaient à l'écurie. Al aida Jessica à mettre pied à terre après avoir échangé quelques mots avec Simon.

— Ça va, Madame ? demanda-t-il, anxieux, en la voyant tituber.

— Oui, merci, fit-elle avec une bonne humeur contrainte. Ce n'est qu'un peu de fatigue.

— J'ai votre sac, Madame, dit-il. Au lac Narrow on vous attend et le patron m'a dit de vous y conduire immédiatement avec la jeep. Je vais la chercher pendant que vous sortez vos affaires de la sacoche.

Jessica s'exécuta, mais elle se sentait bien mal assurée sur ses jambes. Quand elle eut fini, elle chercha Simon du regard. Il avait disparu.

Son attention fut attirée par un mouvement du côté de la maison. Mary Trip avec son pantalon noir et son chemisier rouge enlevait le linge qui avait séché au grand air et en remplissait un panier posé à ses pieds. Tout en observant Mary, Jessica espérait que d'un instant à l'autre Danny allait se précipiter vers elle, tout heureux de la revoir. En vain!

Al revenait avec la jeep. Il descendit pour prendre le sac de Jessica et le placer sur le siège arrière. Au même moment, elle aperçut Simon quittant la grange pour aller vers le ranch.

— Simon! l'appela-t-elle.

Mais sa voix ne portait pas. Elle avait la gorge trop sèche. Pourtant c'était le moment ou jamais d'essayer de se séparer sans laisser de honte ou d'amertume entre eux. Elle força sa voix et alla vers lui tout en boitillant.

— Simon, attendez!

Il ne se retourna pas, continua à avancer vers la maison à grandes enjambées. Mais elle était persuadée qu'il l'avait entendue.

— Il est temps de partir, Madame, insista Al.

Les épaules basses, profondément déçue, elle monta dans la jeep. La porte de la maison s'était refermée. Mary Trip avait disparu. Tout à coup, Jessica eut du ranch une vision floue. Les larmes brouillaient sa vue, mais c'était sans importance. Elle ne voulait voir que Simon et Simon ne le voulait pas.

Elle apprécia le silence du conducteur tout le long du trajet, mais elle remarqua les coups d'œil curieux qu'il ne cessa de lui lancer, à la dérobée.

Il semblait n'y avoir personne autour du chalet, personne pour porter le sac de Jessica et Al se montra inquiet.

— Vous voulez que je vous aide ? Madame, demanda-t-il.

— Non. Merci beaucoup. Au revoir.

— Vraiment, ça n'a pas l'air d'aller très bien, insista-t-il.

— Ne vous en faites pas. Je vais prendre une tasse de thé. Cela me fera du bien.

— Bien, Madame. A la prochaine fois, dit-il en soulevant son chapeau.

Elle monta difficilement les marches de la véranda. Elle avait mal au cœur et elle sentait une douleur aiguë le long de la jambe blessée.

— Vous voilà enfin s'écria Rhoda dès que Jessica ouvrit la porte. Mais dans quel état vous êtes !

Jessica sentit des regards effarés se poser sur elle. Puis elle vit James s'avancer.

— Jessica, que vous est-il arrivé ?

— Rien. Ce n'était qu'une randonnée en montagne, murmura-t-elle à demi-consciente avant de s'évanouir dans ses bras.

7

Dans l'après-midi du samedi, Jessica s'installa sur la véranda, un roman à la main. Elle était assise sur une chaise longue, le dos bien calé par des coussins, très en beauté dans une robe fleurie. Mais sa jambe gauche portait un épais bandage.

Un écureuil gris apparut tout à coup sur une branche du bouleau qui ombrageait la terrasse et se mit à pousser de petits cris. Jessica leva les yeux et lui adressa quelques mots doux. Il l'observa avec des yeux brillants et ronds comme des boutons de guêtre avant de redescendre à toute allure et de se précipiter vers un autre arbre.

Entre les troncs inclinés des bouleaux, le lac Narrow scintillait sous le soleil. La chaleur de l'après-midi pesait dans l'air tranquille. On n'entendait que le remous de l'eau agitée par les nageurs et une musique folklorique que diffusait un transistor.

Jessica referma le livre. Son regard rencontra un sommet montagneux, argenté et pourpre contre le ciel clair. Décidément, la montagne était omniprésente ici, observant sans cesse la comédie humaine. On n'était jamais seul, et c'était sans doute une situation à laquelle il fallait s'habituer, si l'on voulait vivre dans la région.

Mais pour elle, il n'en était pas question. Demain, si

tout allait bien, elle serait en route vers Calgary avec James. Si le docteur qu'elle avait consulté ne lui avait prescrit une journée de repos supplémentaire, ils seraient déjà en route. Elle devait aussi, aujourd'hui, faire changer son pansement.

Elle repensa à son évanouissement dans les bras de James. Quelle situation ridicule ! Et comme elle s'était sentie mal à l'aise sous les regards éberlués qu'elle avait découverts en reprenant conscience !

Elle avait dû expliquer sa brûlure, mais elle avait raconté la nuit passée en montagne le plus brièvement possible. Rhoda avait eu un regard brillant de scepticisme et elle s'était retournée pour dissimuler un sourire et dire quelques mots à Jan. Après quoi, tous les deux s'étaient éloignés.

Molly l'avait conduite chez le docteur, à Clinton tandis que James restait au chalet, à son grand soulagement. Au retour, elle l'avait vu contrarié lorsqu'elle lui avait appris qu'ils devaient rester un jour de plus.

— Cela veut dire que nous ne pourrons pas passer la nuit au lac Louise, comme je l'espérais, avait-il remarqué sur un ton bougon.

— Je suis désolée d'être une source de complication. Et tout cela à cause de mon émoi devant un lapin qui a fait faire un écart à mon cheval.

— Et le cheval s'est vraiment mis à boiter ? avait répliqué James.

— Mais oui ! Comme Simon l'a constaté, il avait un fanon abîmé.

— Et vous l'avez cru ?

— Enfin, James ! Snap est son cheval et il s'y connaît en chevaux, bien mieux que moi.

— Exactement. Vous n'étiez pas en mesure de savoir s'il disait ou non la vérité.

— Simon ne mentirait pas au sujet des chevaux, s'était-elle exclamée. Comment pouvez-vous le juger ainsi ? Vous ne le connaissez pas.

— C'est vrai. Mais Rhoda m'a parlé de lui. Elle le connaît depuis longtemps... Quand vous êtes arrivés au lac de l'Aigle, vous avez passé la journée avec cet homme, m'a-t-elle dit.

Ainsi, James se montrait à nouveau jaloux. Et Jessica s'était demandé comment il réagirait s'il apprenait que Simon et l'étranger d'Edmonton n'étaient qu'une seule et même personne.

— Je ne comprends pas ce qui vous arrive, Jessica. Vous n'êtes plus la même depuis que vous avez mis le pied dans cet hôtel d'Edmonton. Par deux fois en quinze jours, vous vous êtes intéressée à des hommes totalement différents de vous. Pourquoi ?

— Parce que je suis enfin sortie de mon deuil. Je redeviens normale. Je me libère et je tiens pas à retourner en Angleterre. En tout cas pas tout de suite.

— Bon sang ! Que vais-je encore entendre. De toute façon vous êtes ici en tant que touriste, vous ne pouvez pas rester.

— Si ! si je trouve un travail.

— Vous en avez déjà un, Jessica. Vous êtes mon assistante.

— Je ne vous appartiens pas pour autant. Je peux vous quitter quand je le veux.

Il était devenu vert et elle s'en était voulu. James avait été si gentil après la mort de Steve. Puis il s'était levé pour marcher de long en large, faisant cliqueter nerveusement des pièces de monnaie dans sa poche.

— Sincèrement, Jessica, si vous avez l'intention de me quitter, je ne sais pas ce que je vais faire.

— Vous me trouverez facilement une remplaçante. Le monde est rempli de parfaites secrétaires. C'est un travail si féminin.

— Je ne retrouverai jamais une personne comme vous. J'y avais déjà pensé. Et pour cette raison, je désirais que notre relation se consolide. Jessica, voulez-vous m'épouser ?

Comment faire pour ne pas le blesser ? Etait-ce seulement possible ?

— James, vous n'avez pas vraiment envie de vous marier. Cette situation vous arrangerait, voilà tout.

— Vous avez raison, avait-il répondu en passant une main nerveuse dans ses cheveux gris-blond, conscient d'avoir été maladroit. Oh ! je sais, il ne s'agirait pas d'une union « romantique ». Vous avez déjà eu une expérience romantique avec Steve. Nous pourrions être heureux, Jessica, j'en suis certain.

— Mon expérience avec Steve a été si courte, James. Je suis trop jeune pour renoncer à l'amour. Oh, parlons d'autre chose, voulez-vous ? Je suis fatiguée. J'ai besoin de me coucher.

Pris de remords, il n'avait pas insisté et elle avait été heureuse de pouvoir s'endormir avant le retour de Rhoda, sortie pour la soirée en compagnie de Jan et de Cindy. Mais ce matin, elle n'avait pu l'éviter. Elle s'était éveillée au moment où elle entrait, déjà prête, une tasse de thé à la main.

— C'est pour vous, avait-elle annoncé, pleine d'entrain. Dire qu'il y a déjà une semaine que nous sommes arrivés, c'est incroyable, non ?

— Oui. Je n'ai pas vu le temps passer.

Rhoda s'était mise à préparer ses valises.

— Vous avez dû faire provision de sensations nouvelles pendant ces derniers jours, avait-elle avancé, en jetant un regard oblique vers Jessica. Comment s'est passée la nuit avec Simon ? Vous avez obtenu ce que vous vouliez ?

— Je n'attendais rien.

— Alors vous ne risquez pas d'être aussi déçue que moi, avait-elle répondu, très amère.

— Rhoda, je vous comprends, mais je n'y suis pour rien.

— Vraiment ? avait-elle ironisé. J'ai vu la façon dont Simon vous regardait. Et il vous a parlé comme il ne l'avait jamais fait avant. Avec personne.

— Mais cela ne vous donnait pas le droit de faire certaines insinuations auprès de James.

— J'ai simplement répondu à ses questions. S'il les a interprétées à sa manière, je n'y peux rien.

Ses valises fermées, elle s'était approchée du lit.

— Je vous en ai voulu, je l'admets. Mais maintenant je crois plutôt que vous m'avez rendu service.

— De quelle façon ? avait demandé Jessica, soulagée.

— J'ai pu faire le point avec Simon. Quand vous m'avez parlé de la conversation qu'il avait eue avec vous au sujet de Danny, je lui ai suggéré de m'épouser. Aujourd'hui, je n'ai plus d'illusions à me faire mais j'ai aussi l'esprit plus libre. Et la possibilité de faire autre chose.

— Quoi ?

— Je vais préparer un doctorat à l'université d'Edmonton avec Jan.

Avant de quitter la chambre, ses valises à la main, elle s'était retournée une dernière fois.

— Vous aviez parfaitement raison à mon sujet. Je ne suis pas une femme d'intérieur. Et puis, Simon aime trop dominer. Il a besoin d'une femme soumise. Comme vous... Bon ! Bon ! Je n'en dis pas plus. Ne me jetez pas cette tasse à la figure. C'est de la porcelaine !

Elle était sortie dans un éclat de rire, avant de passer la tête dans l'entrebâillement de la porte, pour ajouter avec un sourire provocateur :

— Ravie de vous avoir rencontrée, Jessica. A l'un de ces jours !

Jessica sourit. Effectivement, elle avait été sur le point de lancer la tasse ! Elle se pencha à nouveau sur le livre et essaya de reprendre sa lecture. Ce moment de solitude lui faisait du bien et rien n'était plus reposant qu'un roman d'évasion sous le chaud soleil de l'après-midi.

Si seulement elle cessait de regretter de n'avoir pu prendre congé de Simon décemment. Ce n'était pas là son véritable regret. En fait, elle mourait d'envie de rester ici, d'accepter l'offre de Simon et jamais elle n'avait éprouvé un désir aussi intense.

Mais peut-être que le simple fait de s'éloigner, de quitter cette région calmerait ce désir. Ou s'agissait-il d'un sentiment plus profond ? Etait-ce vraiment de l'amour ? Un véritable amour pouvait-il naître en l'espace de quinze jours ? Ne souffrait-elle pas d'un simple désir sexuel éveillé par la proximité entre eux ces derniers jours ?

Elle soupira à nouveau, incapable de poursuivre sa lecture. Elle ferma le livre, mit ses mains derrière la nuque, appuya sa tête contre les coussins et fixa son regard sur la montagne. Comment pourrait-elle s'y prendre, se demanda-t-elle, pour revoir Simon, avant son départ, sans que James s'en aperçoive ?

Elle entendit soudain le bruit d'une voiture et tourna les yeux vers la route. Le moteur était particulièrement bruyant et elle reconnut une jeep à travers le nuage de poussière que ses roues soulevaient. Elle s'arrêta devant le chalet dans un crissement de freins.

Un homme en jean, chemise à carreaux rouges et blancs et chapeau de cow-boy en descendit. Les yeux de Jessica s'agrandirent. Rêvait-elle ?

Simon monta directement les marches de la véranda, tête baissée. Il n'avait pas dû la voir.

— Il n'y a personne, cria Jessica quand il sonna à la porte.

Elle eut l'impression qu'il se tournait vers elle avec une sorte de réticence. A l'ombre du chapeau blanc, elle aperçut son regard interrogateur.

— Vous ne deviez pas partir ce matin? demanda-t-il.

— Oui... Mais le docteur s'y est opposé. Il voulait que je me repose encore. Nous partons demain.

Sa voix était devenue un murmure. Elle aurait aimé pouvoir ne plus le regarder. Mais ses yeux restaient rivés sur lui.

Il aperçut le bandage sur sa jambe. Elle le vit serrer les mâchoires.

— Comment va votre jambe? demanda-t-il gentiment.

— Elle me fait plus mal que je ne l'aurais pensé. Et la douleur est fatigante. Mais vous avez dû connaître pire avec vos mains.

Il lui lança un regard pénétrant et s'avança pour s'appuyer nonchalamment contre un des piliers de bois.

— Je m'en suis sorti, répondit-il rapidement. Où est Rhoda?

— Elle est partie à Edmonton. Avec Jan.

— A quelle heure?

— Oh, à environ dix heures, ce matin.

Il sourcilla et mit les pouces dans sa ceinture.

— Pourquoi est-elle partie? Vous le savez?

— Oui. Elle a l'occasion de préparer un nouveau diplôme. Elle ne reviendra pas ici cet été.

— Je vois.

Il sembla, soudain, particulièrement intéressé par ses bottes, et Jessica se demanda s'il regrettait le départ inattendu de Rhoda. Avait-il changé d'avis à son sujet?

Il s'écarta du pilier, se retourna, s'accouda à la balustrade et fixa son regard sur le lac aux reflets changeants.

Soudain, il donna un coup de poing sur la rampe, visiblement très contrarié.

— Quelque chose ne va pas, Simon ? demanda Jessica, anxieuse. Pourrais-je vous être utile ?

— Danny s'est sauvé.

— Oh non ! Vous en êtes certain ?

— Plutôt, oui. Il menaçait de le faire depuis un bon moment. Il a remis ça, hier soir. Et ce matin, il est parti.

— Quand il abordait ce sujet, vous disait-il où il pourrait aller ?

— Si l'on veut que ce genre d'action ait un sens, mieux vaut ne pas dire où l'on compte se rendre, non ?

— Sans doute, oui. Je manque d'expérience dans ce domaine, admit-elle.

— Pas moi, répliqua-t-il d'un ton sec.

— Et que voulait-il vous obliger à faire ?

— Il voulait que je vienne ici.

— Pour voir Rhoda ?

— Non.

— Alors... Oh, je n'y comprends rien, lança-t-elle, tout à coup exaspérée par l'orgueil têtu de Simon. Pourquoi avez-vous demandé Rhoda ?

— Je pensais qu'elle savait où il était parti. Il m'a parlé hier soir d'une aide de tante Rhoda... Il est peut-être parti avec elle et Jan.

— Il n'était pas dans la voiture avec eux. Vous ne pensez tout de même pas que...

Trop incrédule, elle ne termina pas sa phrase.

— Si, justement, répliqua-t-il. Il est possible qu'ils aient convenu d'un lieu de rendez-vous. Rhoda en serait capable, uniquement pour se venger de moi.

— Pourquoi voulait-il tant que vous veniez ici, hier soir ? insista-t-elle.

Il ne répondit pas tout de suite. Les sourcils froncés, la

bouche crispée, il devait lutter contre son orgueil. Jessica le comprit et éprouva pour lui un élan d'affection.

— Répondez-moi, Simon, implora-t-elle d'une voix douce. Je ne le répéterai à personne.

Surpris, il la dévisagea et grimaça lentement un sourire.

— Bon. Je vous le dis à *vous*. Il voulait que je vous demande à nouveau de tenir notre maison. Il s'est imaginé que j'avais fait exprès de passer une nuit en montagne avec vous, uniquement pour essayer de vous convaincre.

— Et que lui avez-vous expliqué ? demanda-t-elle, le rouge aux joues.

— Que vous n'étiez pas intéressée et que vous partiez le lendemain. Il s'est mis à pleurer. Il m'a accusé de n'avoir pas su vous convaincre, répondit Simon en haussant les épaules. J'ai bien dû reconnaître que si je vous avais plu, vous seriez restée.

— Je n'ai pas refusé pour cette raison, répliqua-t-elle vivement.

— Non ? releva-t-il, moqueur. Enfin, j'ai averti Danny que votre refus était définitif. Alors il s'est enfermé dans sa chambre. J'ai pensé qu'il allait pleurer une bonne fois et qu'on n'en parlerait plus le lendemain matin. Mais quand Mary l'a cherché pour le petit déjeuner, il était parti.

Sur une branche, au-dessus de la véranda, l'écureuil gris était revenu. Les feuilles des bouleaux frémissaient sous la brise et les eaux du lac venaient clapoter sur les rives. Le silence s'était installé entre Simon et Jessica. Mais devant cette nouvelle occasion qui lui était offerte de vivre avec Simon, Jessica cherchait en elle les mots justes.

Simon parla le premier avec un haussement d'épaules et un pâle sourire.

— Vous devez trouver la situation comique, non ? Je cherche Danny et c'est vous que je rencontre, ici, comme il le souhaitait. Vous aviez peut-être raison : nous ne pouvons échapper l'un à l'autre.

— Nous avons pourtant tout fait pour cela.

— Et si nous cessions de nous débattre ? proposa-t-il, ironiquement. Vous m'avez parlé de fatalité à propos de nos rencontres. Et celle-ci ? Seule une force occulte pouvait l'improviser. Je ne pensais absolument pas vous trouver ici. Hier, nous nous sommes dit au revoir...

— Non, ce n'est pas vrai. Vous m'avez tout à coup tourné le dos et vous vous êtes éloigné sans rien dire. Vous avez été très déplaisant hier. J'aurais aimé vous parler, mais vous étiez totalement muré dans votre entêtement orgueilleux.

Il lui lança un regard surpris, auquel sa peau tannée par le soleil donna une clarté lumineuse.

— Je ne savais pas que...

Il s'interrompit et se frotta le front du revers de la main comme si cette tentative pour exprimer ses pensées lui coûtait un effort important.

— Je ne savais pas que je paraissais si froid, si désagréable. Vous affichiez un air de supériorité après la nuit de jeudi et je ne pouvais le comprendre. Aussi j'ai été odieux.

— Etait-ce vraiment la raison, demanda-t-elle gentiment.

Ils allaient enfin l'un vers l'autre, et elle le sentait. Ils essayaient tous deux d'expliquer leur conduite et leurs sentiments.

— Oh, oui, la vraie raison, répondit-il avec un rire bref. Cette façon que vous aviez de vous blottir dans mes bras... Difficile de résister. Mais après vous avoir repoussée, je me dégoûtais moi-même.

— Pourquoi résister ?

— Vous savez, depuis l'instant où vous êtes entrée dans ma chambre d'hôtel par mégarde, je n'ai cessé de vous désirer. Et en même temps, j'ai tout fait pour ne pas succomber à la tentation, pour me protéger.

— Pourquoi ?

— Je croyais que vous jouiiez avec moi. Et puis, jeudi matin, Rhoda m'a dit...

— Au diable, Rhoda ! l'interrompit-elle, irritée. De quoi se mêlait-elle ?

— Je n'en sais rien, mais quand j'ai refusé ses propositions, elle m'a crié qu'il y avait quelque chose entre vous et moi. Et elle m'a prévenu contre vous. Elle insinuait que vous cherchiez une aventure. Peu importait l'homme, disait-elle. Le premier serait le bon.

— Ce n'est pas vrai, Simon. Pour moi, vous n'êtes pas un homme pris au hasard, parmi tous les autres. Je suis tombée amoureuse de vous, à Edmonton. Mais, comme vous, j'ai lutté contre ce sentiment. Je ne voulais pas croire à un coup de foudre. Ça me paraissait ridicule.

Simon s'écarta de la balustrade, jeta son chapeau sur une chaise et vint s'asseoir sur le bord de la chaise longue. Aussitôt, elle sentit tout son corps se ranimer si fort qu'elle croisa les mains sur ses genoux repliés et concentra son regard sur ses doigts nerveux.

— Nous sommes deux idiots, dit Simon d'une voix tendre. Si nous avions laissé les choses se faire, vous n'auriez pas dormi près du feu et vous ne vous seriez pas blessée. Vous seriez restée au ranch et Danny ne se serait pas sauvé. Il ne faut pas contrarier le destin. On s'expose aux pires ennuis.

— Est-ce un autre dicton de votre grand-père ? demanda-t-elle en plaisantant, soucieuse de masquer l'ivresse qui la bouleversait. Mais en fin de compte, je préfère que Danny se soit enfui. Autrement, vous ne seriez pas ici.

— Attention, Jessica, dit-il, penché vers elle. Quand

vous avez ce sourire, j'éprouve l'irrésistible envie de vous embrasser.

— Alors surtout ne luttez pas ! murmura-t-elle.

Elle lui offrit ses lèvres. Il n'hésita pas. Elle sentit sa bouche, légèrement insistante contre la sienne, et l'odeur de sa peau, mélange de savon et de soleil. Il était rasé de près. Elle ferma les yeux et entrouvrit ses lèvres. Elle glissa ses doigts sous la chemise de Simon et un frisson sensuel la parcourut.

Le souffle coupé par leur élan passionné, ils se regardèrent un instant, avant de se serrer plus fort encore dans les bras l'un de l'autre.

— Vous m'enivrez comme un alcool, murmura Simon, je ne peux plus me contrôler. Il enfouit son visage dans la chevelure soyeuse de Jessica. Dans l'ordre des choses savez-vous ce qui doit suivre, maintenant ? Est-ce vraiment votre souhait, Jessica ? Sincèrement ?

— Oui.

— Allez-vous venir au ranch avec moi ?

— Pour tenir votre maison ?

— Oui. Mais aussi pour être ma maîtresse, ma femme et... la belle-mère de Danny.

Elle posa ses mains sur les bras de Simon et le dévisagea. Il soutint calmement son regard.

— Etes-vous sûr de vous ? demanda-t-elle. M'épouser n'est pas une obligation. Je resterai même sans cérémonie officielle.

— Non, répondit-il avec assurance. Je vais avoir l'air de me contredire, mais en fait, jusqu'à présent, je ne voulais que me protéger en me prétendant opposé au mariage. Son expression s'assombrit un instant. Je me suis marié parce que je m'y sentais obligé. Cela n'arrivera pas une deuxième fois. En ce qui nous concerne, vous et moi, j'ai l'impression que nous ne sommes pas prêts de nous quitter. Alors, prenons un départ franc et honnête.

— Ainsi vous ne vous sentirez jamais pris au piège ?

— Exactement, dit-il en serrant son visage entre ses mains. Jessica, voulez-vous m'épouser ? Nous nous marierons le plus tôt possible à l'église de Clinton dont votre arrière grand-père a été le pasteur. Acceptez-vous ?

— Oui. Merci, Simon.

Elle jeta ses bras autour de son cou et ils s'embrassèrent fougueusement. Ils étaient si absorbés l'un par l'autre qu'ils n'entendirent ni les voix, ni les pas de ceux qui revenaient de la pêche.

— Jessica ! Mais que faites-vous donc ! s'écria James.

Simon se redressa lentement. Pendant quelques instants encore il regarda Jessica, puis il se tourna vers le petit groupe, immobile au seuil de la véranda. Il y avait Cindy, toujours aussi calme, une canne à pêche dans une main, et dans l'autre une brochette de poissons argentés. Il y avait Tom Crawley, son visage rond empourpré, l'air embarrassé sous son chapeau de paille. Quant à James, il semblait harassé. Il portait un bermuda, un tee-shirt et une casquette verte dont la visière lui tombait sur les yeux. Dans cet équipement, il avait un air tout à fait inhabituel.

— Bonjour Cindy ! Tom ! lança Simon de sa voix traînante, en se levant.

— Grand Dieu ! explosa James, mais c'est le cow-boy d'Edmonton. Que faites-vous ici ? De quel droit embrassez-vous Jessica ? Jessica, si cet homme a abusé de vous, il faut me le dire et nous le poursuivrons en justice comme il se doit.

— Une minute ! s'exclama Simon, s'avançant, l'air menaçant vers James. De quel droit dictez-vous à Jessica sa conduite ?

— Je suis James Marshall, son patron. Et vous ?

— Je suis Simon Benson, propriétaire d'un ranch de la région. Je viens d'accompagner Jessica tout au long de cette randonnée et je vais l'épouser. Vous avez cessé d'être son patron depuis dix minutes.

— Oh, formidable ! s'écria Cindy. Félicitations à tous deux.

— Toutes mes félicitations, annonça Tom Crawley. Les choses vont vite aujourd'hui avec les jeunes !

— Jessica, est-ce vrai ? demanda James.

— Oui. Ce doit être une surprise pour vous, je le comprends, répondit-elle avec gravité.

— Une surprise ? Un choc, oui ! Je vous trouvais bizarre depuis quelque temps, je le savais bien.

Il s'interrompit, se passa la main sur le visage et se laissa tomber brutalement sur une chaise, comme si ses jambes ne le portaient plus. Il s'assit juste sur le chapeau de Simon...

— C'est impossible, Jessica, reprit-il. Vous ne pouvez pas faire ça. Vous ne le connaissez pas assez.

— Ecoutez, monsieur Marshall, répondit Simon, sur un ton plus conciliant, j'ai l'impression de connaître Jessica depuis très longtemps. Je sais, ça peut paraître étrange... Et si je veux l'épouser, c'est pour lui permettre de rester avec moi dans les meilleures conditions possibles, selon mon point de vue.

James marmonna avant de préciser :

— Vous ne pensez qu'à vous. Moi, je me sens responsable de Jessica, vous n'avez pas l'air de le comprendre. Sans moi, elle ne serait pas ici et vous ne l'auriez pas rencontrée. Maintenant, comment va réagir sa famille quand je leur annoncerai qu'elle ne revient pas ? Et que, de surcroît, elle épouse un homme qu'elle connaît à peine ?

— Vous n'avez pas à prévenir mes parents, précisa Jessica calmement. Je le ferai moi-même en leur téléphonant d'ici. De toute façon, je n'ai pas besoin de leur accord pour me marier, du vôtre non plus, James.

— Elle a raison, James, intervint Tom Crawley. Pourquoi cette réaction ? Vous n'êtes pas son père.

James marmonna à nouveau et ferma les yeux.

— Je le sais parfaitement. Et je commence à comprendre le lourd fardeau de la paternité... Ne soyez pas si sûr de vous, Tom. Vous avez une fille, vous verrez quand elle viendra vous annoncer qu'il y a dans sa vie un homme plus important que vous... Et quand je rencontrerai la famille de Jessica, ils ne vont pas manquer de me poser des questions sur son mari. C'est inévitable.

Il rouvrit les yeux et fixa son regard sur Simon.

— Tom, intervint Simon avec un sourire désarmant tout à fait inattendu, plaidez pour moi. Dites à James que je m'en sors bien avec mon bétail et mes chevaux.

— Oui, je peux me porter garant de Simon. Il saura rendre Jessica heureuse. Vous pouvez le dire à sa famille.

— Nous irons les voir, ajouta Simon. Quand la saison de la chasse sera terminée. Peut-être pour Noël.

— Très bien, très bien, vous avez gagné, soupira James, puis il se tourna vers Jessica avec un sourire triste. Désolé, Jessica. Mais je vous avais prévenue que je jouerais les pères encombrants. Vous savez pourquoi, n'est-ce pas ?

— Je sais, dit-elle gentiment. Vous n'êtes pas trop déçu ?

— Oh, je m'en sortirai, dit-il, avec sa bonne humeur retrouvée.

— Que se passe-t-il ici ?

La voix de Molly venait de l'entrée. Elle apparut suivie d'un jeune garçon au visage couvert de poussière, mais avec des reflets d'or dans ses cheveux roux.

— Danny ! s'exclama Simon. Où étais-tu passé ?

— Ne te mets pas en colère, papa, gémit-il. Je voulais voir Jessica avant son départ, mais je me suis perdu.

— Ne prenez pas cet air furieux, Simon Benson,

intervint Molly, un bras protecteur autour des épaules de Danny. Il est fatigué et il a faim. Il est parti à six heures ce matin et n'a pas cessé de marcher. Je l'ai trouvé à l'autre bout du lac.

— Mais comment, diable, a-t-il pu se perdre ? demanda Simon. Viens ici, Danny et dis la vérité.

— J'ai pris par les champs et à travers la forêt. Je croyais que ce serait plus court. Il soupira. Je m'étais trompé.

— Plutôt, oui, dit Tom. Tu as dû faire une quinzaine de kilomètres ! Que penserais-tu d'une bonne douche pendant que Molly te prépare un petit repas ?

— Formidable ! répondit Danny, le regard pétillant, avant de se tourner vers son père. Toujours en colère, papa ?

— Moins, admit Simon. Je te croyais en route pour Edmonton... Et maintenant, vas-tu demander à Jessica ce que tu voulais tant lui demander ?

Danny parut soudain intimidé et se balança d'un pied sur l'autre.

— Pourquoi êtes-vous ici ? murmura-t-il. Papa avait dit que vous partiez ce matin de bonne heure.

— Je me suis blessée à la jambe, répondit-elle.

Il hésita, parut gêné puis il s'adressa à son père :

— Demande-lui, papa.

— C'est déjà fait. Jessica reste avec nous.

— Youpi ! s'écria-t-il, toute timidité envolée. Je n'aurai plus jamais besoin de me sauver. Je peux prendre une douche maintenant, madame Crawley ?

— Bien sûr !

— N'avons-nous pas du champagne caché quelque part, Molly ? demanda Tom.

— Du champagne ? répéta-t-elle, en se retournant, ébahie. Pourquoi ? Que célèbre-t-on ? Un mariage ?

— Tout juste, maman ! s'écria Cindy avec un rire

admiratif. Jessica et Simon se marient. N'est-ce pas fantastique ?

— Extraordinaire ! Ils viennent juste de se rencontrer.

— C'est vrai, papa ?

— Oui.

— Oh, génial ! J'aurai droit au champagne ?

— Pas si ton estomac est vide, petit maître chanteur ! répondit Simon avec une colère feinte.

Danny eut pour Jessica le sourire d'un ange. Il sauta, virevolta, esquissa un pas de danse avant de suivre Molly et Tom à l'intérieur de la maison.

— Je vais chercher le champagne avec papa, annonça Cindy, à la cantonade.

James se leva, regarda autour de lui et aperçut le chapeau de Simon.

— Oh !... euh... J'ai l'impression d'avoir écrasé votre chapeau.

— C'est sans importance, répondit Simon, magnanime.

Il se tenait appuyé contre la balustrade, les pouces dans sa ceinture, parfaite image de l'indolence. Mais ses yeux brillaient d'un rire contenu.

— Je tiens à vous présenter à tous deux mes vœux de bonheur, dit James.

Il tendit la main à Simon avec un formalisme de parfait homme d'affaires.

— Et je vous souhaite tout le bonheur du monde, ma chère, continua-t-il en embrassant Jessica.

— Merci d'être si gentil, dit-elle.

— Je ferais mieux, je crois, d'aller aider les autres. A tout à l'heure, conclut-il.

Il ne restait plus que l'écureuil dans le bouleau. Il était assis, la queue dressée, les pattes de devant sur la poitrine et il poussait des petits cris qui lui donnaient l'air de ronchonner.

— James a bien pris les choses, n'est-ce pas? dit Simon, à nouveau assis près de Jessica.

— Oui. Mais je suis contente que vous m'ayez aidée.

— Peureuse ! se moqua-t-il, avant de déposer un baiser sur sa joue.

— Je sais, murmura-t-elle, les bras autour du cou de Simon. Mais je lui dois beaucoup et je ne voulais pas lui faire de mal.

Il frotta sa joue contre les cheveux soyeux de Jessica.

— Moi aussi je lui dois une fière chandelle. Il avait raison. Sans lui, nous ne nous serions jamais rencontrés.

Il se mit à rire.

— Je me demande s'il a jamais eu conscience d'être l'incarnation de la Providence ?

— Oh, vous recommencez à vous moquer de moi ! Elle s'écarta un peu de lui de façon à voir son visage. Ses yeux riaient.

— Cela vous déplaît ? s'enquit-il d'une voix tendre. Vous savez, je ne plaisante qu'avec les gens que j'aime beaucoup. Il regarda la bouche de Jessica d'une manière provocante. Où en étions-nous quand nous avons été si brusquement interrompus par votre ex-patron ?

— Exactement au même point ! Elle enfouit ses doigts dans les boucles noires de Simon. Oh, Simon, comment allons-nous faire pour attendre encore trois semaines ?

— L'attente en vaut la peine, Jessica. Faites-moi confiance.

— Oui, Simon.

Elle prit sa tête entre ses mains. Ils scellèrent leur accord par un baiser passionné.

Sur sa branche l'écureuil continuait son discours. Une légère brise faisait frémir les bouleaux et les trembles. Des rires d'enfants venaient de la plage. Dans les bras de

Simon, vaguement consciente de cette atmosphère estivale, Jessica sentait monter en elle une joie immense. Elle allait voir l'automne et l'hiver et le retour du printemps... Elle avait écouté les esprits de la vallée.

Étude du TAUREAU

par Madame HARLEQUIN

(21 avril-20 mai)

Signe de Terre
Maître planétaire : Vénus
Pierres : Émeraude, ambre
Couleurs : Rose, vert
Métal : Cuivre

Traits dominants :

Acharnement, obstination,
esprit réaliste et pratique.
Affectueux, tendre, peu agressif.

TAUREAU

(21 avril-20 mai)

Jessica est obstinée : elle a décidé d'en savoir plus au sujet de cet homme énigmatique habillé en cow-boy et n'hésite pas à le questionner, au risque de paraître indiscrète. Notre héroïne doit pourtant lutter contre cet acharnement que met le Taureau à obtenir ce qu'il désire : en effet, elle ne veut pas montrer à Simon l'attirance qu'il exerce sur elle et se retient de lui avouer la passion qu'elle ressent, jusqu'au jour où cet amour se trouvera partagé.

NE MANQUEZ PAS CES AUTRES TITRES DANS *Harlequin Romantique*!

9 POUR UN REGARD DE TOI de Violet Winspear
Rea, la douce orpheline, accepte d'entrer dans le jeu de Bertram Ryeland pour sauver une famille du déshonneur. Mais est-elle de taille à faire face aux conséquences de son geste?

10 PETITE SOURIS AUX YEUX DE LION d'Isobel Chace
Lucy ne pouvait se résoudre à souhaiter que Matias épouse sa cousine, pour une raison toute simple... Ne voulait-elle pas éperdument l'épouser elle-même?

11 QUIPROQUO A SARAMANCA de Mary Wibberley
Jane quitte Londres pour rencontrer son père, artiste qui s'est installé dans une belle île de l'Océan Indien. Mais une farouche hostilité naît entre la jeune fille et le maître de l'île...

12 SEPT FONTAINES DANS UN JARDIN d'Anne Weale
Viviane se félicite d'être venue en Malaisie occuper la maison que lui a léguée son parrain. Au premier regard, c'est le coup de foudre! Mais quand l'amour, le vrai, surgit dans sa vie, osera-t-elle le reconnaître?

13 LE PAYS DE MON CŒUR d'Anne Weale
Les Saint-Aune, famille orgueilleuse de la Camargue, n'aimaient pas les étrangers. Pourtant, ils avaient besoin de Joceline...qui ne tarderait pas à vouloir s'enfuir, loin du cynique Gervais...qu'elle n'aimait que trop!

14 UN BONHEUR AU GOUT DE CENDRE de Jan MacLean
Alan revient à la ferme des Sept Chênes, après une absence mystérieuse de quatre longues années. L'atmosphère devient aussitôt chargée. Kate a le pressentiment que tout va mal finir... y compris son amour pour Alan!

15 ENVERS ET CONTRE TOI de Lilian Peake
Il était indispensable que Per et Noëlle s'entendent. Après tout, ils devaient travailler ensemble. Mais Per est un coureur, et Noëlle s'est juré de ne pas en tomber amoureuse. Leurs points de vue allaient s'avérer inconciliables!

16 L'ETE DES TOURNESOLS de Violet Winspear
Jeune et inexpérimentée, Marny est pourtant certaine de mépriser les hommes: tous des tyrans! Est-ce pourquoi elle se laisse gagner en douceur par la gentillesse du Docteur Paul Stillman? La voici amoureuse du beau docteur...fiancé.

Ces titres sont disponibles chez votre dépositaire.

Commandez les titres que vous n'avez pas eu l'occasion de lire...

46 La rebelle apprivoisée
Anne Hampson

47 La haine aux deux visages
Roberta Leigh

48 Le Château des Fleurs
Margaret Rome

49 La Tour des Quatre Vents
Elizabeth Hunter

50 Arènes ardentes
Flora Kidd

51 La sirène du désert
Margaret Rome

52 En un long corps à corps
Charlotte Lamb

53 Pour le malheur et pour le pire
Janet Dailey

54 L'aigle aux yeux vides
Anne Hampson

55 Une étoile au cœur
Roberta Leigh

56 Sortilège antillais
Violet Winspear

57 Le dernier des Mallory
Kay Thorpe

58 Le ranch de la solitude
Elizabeth Graham

59 Le piège du dépit
Rosemary Carter

60 Sous l'aile du dragon
Sara Craven

61 La maison des amulettes
Margery Hilton

62 Une jeune fille en bleu
Katrina Britt

63 La fleur fragile du destin
Stella Frances Nel

64 Les survivants du Nevada
Janet Dailey

65 L'oasis du barbare
Charlotte Lamb

66 La passagère de l'angoisse
Anne Hampson

67 La rose des Medicis
Anne Mather

68 Le val aux sources
Janet Dailey

69 Tremblement de cœur
Sara Craven

70 Comme un corps sans âme
Anne Weale

71 Au grand galop d'une roulotte
Margaret Rome

72 Le Seigneur de l'Amazone
Kay Thorpe

75 Après la nuit revient l'aurore
Margery Hilton

76 Les noces de Satan
Violet Winspear

77 La Montagne aux Aigles
Margaret Rome

80 Le Châtelain des montagnes
Anne Mather

81 Flammes d'automne
Janet Dailey

82 Le chemin du diable
Violet Winspear

83 La malédiction des Mayas
Sara Craven

84 Trop belle Annabel
Anne Weale

85 Le cœur s'égare
Elizabeth Graham